Andando De Tu Mano

Por Lourdes R. Falcon

Andando De Tu Mano

Trilogy Christian Publishers es una subsidiaria de propiedad total de Trinity Broadcasting Network

2442 Michelle Drive Tustin, CA 92780

Departamento de Derechos, 2442 Michelle Drive, Tustin, CA 92780.

Diseño de portada por: Natalee Groves

Fabricado en los Estados Unidos de América

10 9 8 7 6 5 4 3 2 1

Los datos de catalogación en publicación de la Biblioteca del Congreso están disponibles.

ISBN: 979-8-88738-508-2

E-ISBN: 979-8-88738-509-9

Dedicación

Al Espíritu Santo, mi compañero, mi mejor amigo, mi compañero y mi mejor amigo, a Jesús, mi Salvador y el que ama mi alma.

A Dios Padre, la razón por la cual vivo y en quien vivo, mi todo en todo.

A mi esposo, Francisco (Frankie), siempre a mi lado, siempre apoyándome y amándome más de lo que las palabras pueden expresar. ¡Estoy tan bendecida de tenerte! Gracias por tu amor incondicional.

Y a mis hijas Christina y Estela, el regalo más preciado de Dios; mi yerno, Jonathan, y mi nieto, Gabriel, la alegría de mi vida. Oro para que sepan que nacieron con un propósito y que puedan enamorarse de Jesús y conocer Su vida eterna. Que puedan conocer al Espíritu Santo como su mejor amigo y que puedan ser llenos del conocimiento de Dios, Su gran amor y Su maravillosa Gracia. Que todos ustedes lleguen a conocer a Dios de una manera íntima, y muchos vengan a Jesús solo porque ustedes lo conocen.

Expresiones De Gratitud

Fue una sorpresa cuando Stacy Baker me contactó para la producción de este libro. Le doy gracias por impulsarme a escribir, por su obediencia a la voz del Espíritu Santo y por creer en mí. A ella, Jessi Gill y los editores de TBN, quiero darles las gracias por todo su apoyo para ayudarme a escribir este libro. Estoy tremendamente agradecida por la oportunidad que me brindó la red, acompañándome durante este proceso. Especialmente por permitirme dejarles echar un vistazo a mi relación amorosa con el Espíritu Santo, mi mejor amigo y compañero amoroso. Señor, por ti, estoy eternamente agradecida.

Me gustaría dar las gracias por la ayuda que me brindó mi hija, Christina Falcon, durante la producción del libro. Sin su ayuda, probablemente no habría ningún libro. Sus ideas de edición transformaron mi escritura, y por eso, le estaré eternamente agradecida. También me gustaría mencionar a mis pastores y maestros, los cuales han sido de gran inspiración desde el inicio de mi ministerio. Mis pastores, Benny y Suzanne Hinn, el pastor Sam Hinn, los pastores Nuno y Jackie Rodríguez, el pastor Ed Hires, la Dra. Judy Fiorentino y el Dr. Richard Tindell, gracias. Todos ustedes han jugado un papel importante en mi crecimiento espiritual y me han dado algunas de mis primeras oportunidades en el ministerio y en la iglesia. Los amaré a todos por siempre.

Necesito agradecer a mi querido esposo, Frankie, mi confidente y ayudante. Gracias por creer en mí, por tu comprensión y por el apoyo infinito de asistirme a llegar al lugar donde el Señor me ha llevado. Gracias por el tiempo que les tomé a tí y a mis niñas cuando me permitieron ir a ministrar y mientras escribía este libro. ¡Los quiero mucho!

Mis hijos, Estela y Jonathan Tirado, gracias por su ayuda e inspiración para este libro.

Mis grandes amigos y compañeros de oración, que de una forma u otra, fueron parte de las experiencias que compartí en este libro, Angie Flores, Ana E. Díaz, Magda Díaz, Marta Rodríguez De Jesús, Priscilla, Juana, Don Félix, José y Carmen Pérez, y mi querida Teresa, les estaré eternamente agradecida por su amor y fidelidad.

Mis padres, María Cristina y Agustín, gracias por vuestro cariño y enseñanzas. Aunque ya no están conmigo, siempre los llevaré a ambos en mi corazón. Soy quien soy gracias a ustedes. Siempre serán mi ejemplo a seguir y amar incondicionalmente.

A mis hermanos María Cristina, Nilma, Ángeles, Luis, Marisol y Agustín, ustedes siempre han sido mi mayor apoyo. No estaría aquí sin ustedes.

Tabla De Contenidos

Dedicación v
Expresiones De Gratitud vii
Introducción 1
Capítulo 1: Serás Mi Pastorcita 3
Capítulo 2: Conocerás Al Espíritu Santo 9
Capítulo 3: Caminarás Conmigo 15
Capítulo 4: Estarás Cubierto Con Mi Amor 19
Capítulo 5: Tu Serás Mi Oveja 25
Capítulo 6: Seré Tu Refugio 29
Capítulo 7: Tu Juzgaras Con Justicia 33
Capítulo 8: Te Diré La Verdad 37
Capítulo 9: Conocerás El Significado De La Gracia 39
Capítulo 10: Tendrás Sabiduría 45
Capítulo 11: Y Tu Profetizarás 49
Capítulo 12: Revelación y Profecía 53
Capítulo 13: Tendrás Pasión 59
Capítulo 14: Vas A Estar Enamorado De Mí 63
Capítulo 15: Serás Transformado 67
Capítulo 16: Sabrás Que Estoy Vivo 71
Capítulo 17: Estad Quieto 75
Capítulo 18: Permanece En Mi 79
Capítulo 19: Tu Podrás Elegir 83
Capítulo 20: Mira La Cosecha 87
Capítulo 21: Tendrás Fé 91

Capítulo 22: Serás Un Dador Alegre 99
Capítulo 23: Tu Me Perteneces 103
Capítulo 24: Conocerás El Camino De La Fe 107
Capítulo 25: Bailarás Conmigo 111
Capítulo 26: Tu No Puedes, Pero Yo Si Puedo 113
Capítulo 27: Te Daré Todas Las Cosas Libremente 115
Capítulo 28: Tu Tendrás La Paz de Dios 119
Capítulo 29: Estarás Protegida 123
Capítulo 30: Tu Eres La Hija Del Rey 125
Capítulo 31: Estaré Caminando Junto A Ti 127
Capítulo 32: Estoy Aquí Junto a Ti 131
Capítulo 33: Nunca Llegaré Tarde 135
Capítulo 34: Viviras En Mi 139
Capítulo 35: Te Daré Una Nueva Vida 143
Capítulo 36: No Tengas Miedo 147
Capítulo 37: Mi Luz Te Guiará Todos Los Días 151
Capítulo 38: Terminaré Mi Obra En Ti 155
Capítulo 39: Te Amaré Libremente 157
Capítulo 40: Todo Lo Que Eres Y Todo Lo Que Haces Será Para Mi.. 163
Capítulo 41: Tu Corazón Será Humilde 169
Capítulo 42: Te Escucharé Y Te Sanaré 173
Capítulo 43: Aprenderás A Mirar Al Corazón 179
Capítulo 44: Sigue Mirándome 183
Capítulo 45: Verás Mi Belleza 187
Capítulo 46: Amarás Y Perdonarás 191
Capítulo 47: Seré Tu Abogado 195

Capítulo 48: Yo Lo Haré 199
Capítulo 49: Deja Que Los Niños Vengan A Mí 203
Capítulo 50: Hablarás Con Un Lenguaje Nuevo Que No Entenderás .. 207
Capítulo 51: Tus Cabellos Están Todos Contados 211
Capítulo 52: Extenderás Mi Compasión Y Mi Misericordia 215
Sobre el Autor 221

Introducción

¡Qué maravilloso es ser hija del rey! Es maravilloso hablar con Él y escuchar mientras Él nos habla. Dios siempre está hablando.

Llénate de gozo al saber que Dios quiere una relación cercana contigo y que Él quiere caminar contigo de una manera íntima. Él te ha hecho especial y único, y esa es la forma en que Él quiere comunicarse contigo. El caminar con el Espíritu Santo cada día y meditar en la Palabra de Dios te transformará y traerá respuestas, paz y gran gozo.

Este libro—*Andando De Tu Mano*— es una colección de algunas de mis experiencias en mi caminar con el Espíritu Santo. Éste no es un trabajo teológico o académico profundo, sino el maravilloso recuento de una parte de mi vida que yo ruego les sea de gran bendición. Las alegrías y las experiencias que comparto contigo en este libro me llevaron a respuestas que cambiaron mi vida para siempre. Es mi oración que aprendas a hablar con Dios y saber que Él siempre está contigo y siempre te está escuchando. Ciertamente, ¡Él siempre responde! Ruego que estos capítulos te sirvan de guía a través de las lecciones que viví y sigo viviendo. Recuerda dejar que la Palabra de Dios sea siempre tu confirmación final.

Jesus dijo,

> *"El espíritu es el que da vida; la carne para nada aprovecha; las palabras que yo os he hablado son espíritu y son vida." (Juan 6:63 RVR1960)*

¡Cuán ciertas son estas palabras! Conócelas. Mantén las palabras de Dios en tu corazón y en tu mente. Piensa con Sus pensamientos y habla con Sus palabras. Aprende a caminar en la eternidad.

El Espíritu Santo te dará a Jesús, y conocer a Jesús es conocer la vida eterna. ¡Aprende a caminar con Su Espíritu Santo! Sé transformado por Sus palabras como yo fui transformada. Ya sea que seas un cristiano recién nacido o un cristiano experimentado, confírmate en Su Espíritu y Su Palabra. Ni uno ni el otro, sino los dos. Escucha al hombre, pero es el Espíritu Santo quien en realidad habla dentro de ti, y la Palabra escrita siempre confirma lo que escuchaste. Anímate y fortalécete mientras permaneces en el amor y la fidelidad de Dios. Oro para que mis recuerdos y las experiencias que viví te atraigan a Su gloriosa presencia.

Si no conoces a Jesús como tu Salvador y Señor, y este libro terminó en tus manos, tal vez quieras orar conmigo esta oración antes de emprender el caminar con Él: "*Padre Dios, vengo a ti así como soy. Te pido perdón por cada pecado en mi vida. Tú dijiste en tu Palabra que aunque nuestros pecados sean como la grana, como la nieve serán emblanquecidos, aunque sean rojos como el carmesí, serán como la lana (Isaías 1:18). Toma mis pecados, los que te han mantenido lejos de mí, y hazlos blancos como la nieve. Recibo a Jesús en mi corazón como mi único Salvador y Señor. Ven, Señor Jesús, y hazme nuevo. Quiero nacer de nuevo. También dijiste en Tu Palabra que si alguno está en Cristo, nueva criatura es, todas las cosas pasaron, todas son hechas nuevas (2 Corintios 5:17). Ven, Señor Jesús, a mi vida y haz de mí una nueva criatura; quiero con todo mi corazón esta nueva vida en Ti. ¡Lléname con tu Espíritu Santo! Quiero todo de tí.*"

Cree en el Señor Jesús, y serás salvo. Camina con El Espíritu Santo, ven a conocerlo. Un día tú también le dirás como yo, que hermoso es el estar *Andando De Tu Mano.*

Capítulo 1

Serás Mi Pastorcita

"y la esperanza no avergüenza; porque el amor de Dios ha sido derramado en nuestros corazones por el Espíritu Santo que nos fue dado."

(Romanos 5:5 RVR1960)

Para escuchar y hablar con el Espíritu Santo, debes quitar el velo que separa Sus pensamientos de tus pensamientos. Entre Su mente y la tuya. Significa compartir tus pensamientos sin ocultarle nada. Los pensamientos secretos que guardas de Dios son aquellos desprovistos de Su amor. Dios no puede alcanzarlos a pesar de que Él los conoce. ¿Por qué los ocultamos de Él? Porque pensamos que estos pensamientos traerán juicio, y eso es lo que nos asusta. Pero el juicio es una mentira, porque Dios no nos juzga. ¡Oh, la dulzura del Espíritu Santo!

Cuando lo permitimos dentro de nosotros, dentro de cada habitación de nuestro corazón, Él no nos juzgará. No importa lo feos que puedan ser. El amor es su medio, su camino. Cuando entregas tus pensamientos (aquellos pensamientos que le has ocultado a Él, los dolorosos, los vergonzosos, incluso los que disfrutamos en secreto) al Espíritu Santo, Él los transforma. Él no trae juicio; Él les trae amor.

Lo que sucede después es que Él los hace disolver, desaparecen o los transforma en algo que no puedes reconocer.

Pero pase lo que pase, no pierdes nada. Es tu propio ego el que teme perder sus posesiones más queridas, los pensamientos que te alejaron de Él. Una vez que tu mente se abre completamente al Espíritu Santo, Él te da todo lo que tiene. Él derrama Su amor en tu corazón.

"*Todo lo que tengo es tuyo, todo lo que soy es tuyo*" es la voz del Espíritu Santo en tu corazón. Lo único que escondes y proteges de Él es tu propio dolor. Cuando los ofreces, los abres a Su amor, y el Espíritu Santo reemplaza tu sufrimiento con la plenitud de la presencia de Dios. No se requiere nada más, porque el Espíritu Santo hará el resto, de acuerdo con la voluntad y el plan de Dios para tu vida.

¡No hay nada más grande en este mundo que entrar en Su santa presencia y experimentar esta paz eterna y la plenitud del gozo! ¡Por esto, Jesús murió por nosotros! Deja que el Espíritu Santo entre en todo tu corazón y lo llene de su amor. No le guardes nada a Él. Esta es la única manera de amar y de hecho, la más desafiante. Pero ningún otro amor te cambiará, y ningún otro amor servirá.

Permítanme compartir con ustedes: hace muchos años, cuando vivía sin el consejo de Dios en mi vida, lo conocía, pero aún no había nacido de Él. Cuando mis hijas eran solo bebés, estaba pasando por algunos problemas maritales en los que me encontraba desamparada y no quería decepcionar a nadie, ni a mi esposo, ni a mi familia, ni a Dios. Mis sentimientos por mi esposo habían cambiado después de descubrir hace años que no podía tener hijos. No estoy segura si fue por mi cirugía repentina y la falta de hormonas o por la depresión en la que caí. Pero sabía que después de esa trágica experiencia, yo había cambiado. Simplemente ya no sentía lo mismo, y la alegría que mis gemelas trajeron a mi vida no fue suficiente para cambiar mis sentimientos.

La maternidad me llegó con mucha plenitud y alegría, pero a la vez me trajo mucha tristeza por los cambios que venían en mi día a día. Me encontré demasiado ocupada con las dos pequeñas. No tenía tiempo para dormir sino un par de horas aquí y allá, sin tiempo para pensar ni para disfrutar de la tan esperada experiencia de ser madre. Sé que toda mujer tiene que pasar por estas etapas cuando tiene un bebé, pero además estaba el sentimiento de desesperanza con respecto a mis sentimientos por mi esposo. Nunca habían sido los mismos durante los últimos tres años, y cada día parecía ser una línea plana. No es que mi esposo fuera un mal esposo, era un esposo perfecto, el esposo que siempre imaginé tener.

Estaba tan agradecida de tenerlo como mi compañero. Nunca podría haber pasado por este período de mi vida sin él: un padre práctico y amoroso, tan comprensivo, amable. Tal vez esa era la raíz de mi problema. No tenía sentimientos románticos por alguien que era tan perfecto. Seguramente el problema nunca fue él; siempre fui yo. Algo estaba tan mal conmigo, y no podía resolverlo. Algo en mi corazón lo había sacado y no podía dejarlo entrar. No siendo cristiana entonces, decidí buscar ayuda de un psiquiatra para encontrar la raíz de esta situación.

La visita al psiquiatra fue decepcionante, por decir lo menos. Era una dama, y parecía fría y desinteresada. No había conexión emocional ni compasión. Después de contarle y abrir mi corazón sobre mi situación, me dijo que considerara el divorcio. Dijo que era la manera más fácil de salir de mi situación. Eso es todo. ¿Ninguna otra manera? ¿Un divorcio? ¿No es un tratamiento o pastillas? No, esto no puede ser. ¿Cómo puedo divorciarme? ¿Cómo puedo decirle a mi esposo perfecto cómo me siento? De donde vengo, no creíamos en el divorcio. Sabía en mi corazón que Dios no lo aprobaría, y simplemente no quería uno. No, esa no era la solución.

Supongo que esperaba que mi falta de sentimientos fuera algo que un médico pudiera curar con una pastilla. Estaba tan equivocada. Empecé a llorar de impotencia tan pronto como entré en mi auto. No podía ver claramente, no por mis lágrimas sino porque no tenía esperanza. No podía dejar de llorar. Había tanto dolor y tristeza. Entonces decidí volverme a mi Papa Dios.

Recuerdo detenerme en un semáforo en rojo y con gran desesperación decirle: "*Padre, no sé qué hacer; Dime qué hacer.*" De repente, los cielos se abrieron y Jesús apareció en una visión. Fue como si me apareciera una gran pantalla. Me encontré con miedo cuando lo vi en la cruz, sangrando profusamente y quebrantado. Pude ver la corona de espinas en Su cabeza golpeada. Había tanta sangre que no podía ver Su rostro y entré en pánico.

Entonces escuché a Jesús preguntarme con voz audible: "*¿Me amas?*" Y yo, entre lágrimas, inmediatamente respondí: "*¡Claro, Señor, Tú sabes que te amo! ¡Pero, por favor, bájate de esa cruz!*". Sentía Su agonía, tanto dolor y sangre. Tenía prisa por bajarlo de esa cruz. No entendía lo que estaba pasando. Él respondió: "*Apacienta mis corderos*".

Una vez más, Jesús repitió la misma pregunta: "*¿Me amas?*" Y yo de nuevo entre lágrimas le respondí: "*Sí, Señor, pero por favor...*" "*Apacienta mis ovejas*". Me preguntó por tercera vez: "*¿Me amas?*". Me sentí derrotada y respondí: "*Sí, Señor, Tú sabes que te amo*". Respondió por última vez: "*Apacienta mis ovejas*". Entonces la visión desapareció, y yo estaba en la luz verde de nuevo.

Yo sollozaba mientras conducía, ¡y estaba tan confundida! Estaba sorprendida, y al mismo tiempo, estaba aterrorizada. Estaba pensando, ¿Qué acaba de pasar? ¿Qué quiso decir Jesús? ¿Alguien me creería? El problema que tenía antes parecía desaparecer, pero ahora tenía una tarea que no podía entender. A partir de entonces, mi vida dio un giro completamente. Los sentimientos por mi esposo comenzaron a brotar con el tiempo. Era como una planta que se había secado en una tierra seca y sedienta, que luego comenzó a recibir el sol y el agua del Espíritu de Dios y Su Palabra. El Señor no cambió mis circunstancias; Él me cambió a mi. Jesús no me dio un nuevo esposo, le dio a mi esposo una nueva esposa. Y Él cambió mi percepción de lo que realmente es el amor. No es un sentimiento; es mucho más que eso. Desde entonces, he tenido una nueva vida maravillosa, mi amorosa familia y una nueva asignación divina.

Habían pasado unos años desde ese día, y ya estaba haciendo mi maestría en teología, la cual luego cambié a Consejería Cristiana. Habiendo sido criada como católica, imaginé que Dios solo quería que yo diera clases en la escuela dominical. Yo estaba feliz con esa idea.

Un día, mientras limpiaba el vidrio de mi mesa de comedor y al mismo tiempo tenía mi televisión encendida en mi canal cristiano favorito, la voz audible de Dios vino a mí y me dijo: "*Vas a ser pastora*".

"*¡Oh, no*!" Inmediatamente respondí: "¡*Señor, por favor no me hagas esto*!". Mira, pensé que era una responsabilidad inmensa para una mujer como yo. Siempre tuve miedo de la dinámica en los encuentros sociales y conocer gente nueva. Las multitudes siempre me asustaron, y hablar frente a ellas siempre fue un gran temor para mí. Habiendo sido criada como católica, nunca pensé que una mujer pudiera ocupar un puesto como ese. Pensé que era trabajo de hombres. Yo le dije: "*Señor, no hay pastoras*", pensando que las únicas religiosas que conocía eran maestras o monjas, y me dijo: "*Sí, las hay, ¡mira!*". Y cuando miré la televisión, estaba esta mujer predicando. Ella estaba diciendo, "*Yo soy la pastora de esta iglesia...*" Me quedé sin palabras. Simplemente no quería ser pastora y ya no tenía excusas.

Entonces, lo único que pude hacer fue abrir mi corazón a Dios y ser honesta con Él. Le dije: "*No puedo ser pastora porque un pastor ama a sus ovejas, pero yo no tengo amor por las personas"*. Hablaba del amor que Él siente por Sus ovejas. Ese amor que te hace dejarlo todo por esa ovejita perdida. Amaba a la gente, pero era con mi propio amor, el tipo de amor egoísta. Entonces, Dios me habló y me dijo: "*Yo te daré Mi amor"*. A esto, no tuve respuesta.

Estaba abrumada pensando en mis propias debilidades y me sentía muy deshecha. Todo lo que podía hacer era dejar que Dios entrara en mi corazón y que alcanzara esa parte indeseable de mí. El Espíritu Santo tomó esa parte, y cuando escuché la voz de Dios, la disolvió. ¡Fui transformada! Su amor en mi corazón me cambió. Gracias, Dios, por mirar mi corazón y transformarlo con Tu amor. Con este amor, te amo. Con Tu amor, puedo vivir y morir, por Ti y por Tus ovejas.

Capítulo 2

Conocerás Al Espíritu Santo

"Desechando, pues, toda malicia, todo engaño, hipocresía, envidias, y todas las detracciones, desead, como niños recién nacidos, la leche espiritual no adulterada, para que por ella crezcáis para salvación, si es que habéis la benignidad del Señor."

(1 Pedro 2:1-3 RVR1960)

"Y yo rogaré al Padre, y os dará otro Consolador, para que esté con vosotros para siempre: el Espíritu de verdad, al cual el mundo no puede recibir, porque no le ve, ni le conoce; pero vosotros le conocéis, porque mora con vosotros, y estará en vosotros."

(Juan 14:16-17 RVR1960)

Para que puedas recibir y conocer la Gloria de Dios, Su Santa Presencia, tendrás que abrir tu corazón y dejar que Él te limpie de todas las cosas que sean injustas en tu vida. Arrepentirse significa volver al lugar más alto (arre-pentirse). Significa dar la espalda a cualquier cosa que sientas que estás haciendo mal en tu vida. Lo sé porque cuando peco lo sé inmediatamente. El Espíritu Santo dentro de mí me hace saber cuándo estoy haciendo algo mal o no. El es quien me convence de pecado. Él nos habla al corazón y nos corrige, mostrándonos el camino para hacerlo bien. Él usa Su Palabra para confirmar Su obra.

"Toda la Escritura es inspirada por Dios y útil para enseñar, para reprender, para corregir y para instruir en la justicia,"

(2 Timoteo 3:16 NVI)

Cuando naces de nuevo, tu espíritu es re-creado. Eres una nueva creación. Dios mismo te pone en Cristo. Él te hizo sentar en los lugares celestiales en Él. Luego, cuando fuiste bautizado con Su Espíritu Santo, recibiste Su poder (Dunamis), el mismo poder que estaba disponible para Jesús para hacer hazañas. Él es quien te unge.

"El Espíritu del Señor está sobre mí, Por cuanto me ha ungido para dar buenas nuevas a los pobres; Me ha enviado a sanar a los quebrantados de corazón; A pregonar libertad a los cautivos, Y vista a los ciegos; A poner en libertad a los oprimidos; A predicar el año agradable del Señor."

(Lucas 4:18-19 RVR1960)

Tú también puedes hacer todos los milagros que hizo Jesús. Esto no es solo para ministros de la Palabra. Esta experiencia es para todos los que queremos conocer a Dios personalmente y queremos seguirlo. Pregúntale a Dios, estoy segura de que Él se te revelará. El Espíritu Santo es nuestro Ayudador, nuestro Consejero, nuestro Consolador, Él es el poder de Dios. Él es esa vocecita dentro de nosotros que nos ayuda a ver nuestros propios errores, faltas y pecados. Ahora, si te sientes acusado o condenado, esa no es la voz del Espíritu Santo. Él te lo dirá; Él te corregirá y nunca te condenará. Dios necesita un vaso puro en el que pueda derramar Su Gloria, Su santa presencia.

Pídele al Espíritu Santo que te dé hambre por Su Palabra Viva, la Biblia. Así como un bebé anhela la leche de su madre, pídele al Espíritu Santo que te ayude a anhelar Su Santa Palabra y te dé sabiduría, discernimiento y comprensión en lo que estás leyendo. Medita en Su Palabra. Guárdalo en tu cofre de tus tesoros, en tu corazón. Jesús se fue para que Su Espíritu pudiera venir a nosotros. El Padre nos envió el Espíritu Santo para que se abrieran nuestros ojos espirituales. Lo envió para ayudarnos y asistirnos. No podemos hacer nada sin la obra y el poder del Espíritu Santo.

Al igual que un bebé que anhela la leche de su madre, Dios te hará desear y tener hambre de Su Palabra. Crecerás espiritualmente a medida que bebas, digieras y deposites la pura Palabra espiritual en tu corazón. Cuanto más pura sea la leche, más crecerás. Cuanto más alto vuelas, más profundo irás. A medida que comienzas a crecer, comienzas a comer alimentos para bebés y luego, continúas creciendo hasta este convertirse en alimento más sólido. ¡Ah, las cosas profundas de Dios! Si recién estás comenzando a leer tu Biblia, esta será tu primera leche espiritual. ¡No le darías un trozo de carne a un bebé para comer pues se ahogaría!

Recuerdo el momento en que el Espíritu Santo vino a mi vida. Estaba leyendo mi Biblia en mi habitación. Había puesto música cristiana de fondo, tal como mi pastor nos dijo que hiciéramos. Aprendí cómo Él esperó al Espíritu Santo y esperó hasta que apareció. ¡Quería tanto conocerlo! Esto no podría estarle sucediendo a una sola persona, porque Dios no hace acepción de personas. ¡Por lo tanto, quería con todo mi corazón encontrarme con Él también!

Tomaba una porción de la Biblia y leía lentamente cada versículo en voz alta, los que me hablaban. Seguí repitiéndolos una y otra vez. Era como si estuviera masticando cada palabra antes de tragarla. Las repetí en voz baja hasta que sentí que algo dentro de mí crecía. Esto era lo que es meditar en la Palabra de Dios, donde Su presencia se sentía más fuerte con cada repetición. Cuando no sentía más aumento, continuaba con el siguiente. Me detenía de vez en cuando, diciendo en voz alta: "*Espíritu Santo, eres bienvenido en este lugar*".

Eventualmente, sentí como la hermosa presencia del Espíritu Santo entraba a mi habitación. Pude sentir Su gloriosa entrada y cómo se movía hacia mí. Empezó a rodearme como si fuera una manta. Sentí como si un pedazo de cielo hubiera descendido sobre mí. Estaba asombrada. Todo lo que pude decir fue: "*Te amo, Espíritu Santo, gracias por estar aquí conmigo*".

La primera vez que visité al Orlando Christian Center, me sentí extasiada con el servicio. Recuerdo que durante el servicio, hubo un momento en que sentí que algo me tocaba. Este fue un toque real, moviéndose lentamente contra mi brazo, luego mi pierna, luego mi cara. Yo miraba a mi alrededor, preguntándome qué era eso. ¡Incluso traté de mirar de dónde venía el aire acondicionado! No podía averiguar quién o qué me estaba tocando. Ese día en mi dormitorio, tuve la misma experiencia, y supe entonces que era la presencia del Espíritu Santo. ¡Él me tocó! ¡Y ahora Él se movía sobre mí! Me rendí en Su magnífica presencia, levanté mis manos y lo adoré.

Esta experiencia continuó, y Su presencia parecía crecer día a día. Por la mañana, lo primero que decía era: *"Buenos días, Espíritu Santo"*. Me acostumbré tanto a Él que si un día no lo sentía, mi corazón se sentía muy triste. Solo esperé por Él hasta que Su hermosa presencia regresó. ¡Ven y comienza a saborear, oler y beber el Espíritu de Jesús! Este es tu lugar; Su espíritu es tu casa. ¡Aquí es donde tu perteneces! Pruébalo. No estarás decepcionado. Cuando vengas a Él, Él vendrá a ti.

> *"Acérquense a Dios, y él se acercará a ustedes. ¡Límpiense las manos, pecadores! ¡Purifiquen sus corazones, ustedes que quieren amar a Dios y al mundo a la vez!"*
>
> *(Santiago 4:8 DHH94I)*

Sí, ven al Espíritu Santo, sonríele y dile cuánto lo amas. Pídele que te ayude a leer Su Palabra. Dile que quieres más de Jesús, más de Dios. Dile que no hay lugar en la tierra donde preferirías estar.

El Espíritu Santo no es solo para unos pocos sino para todos nosotros. ¡No te rindas! Pregúntale qué estás haciendo mal y pídele que te cambie, que te santifique y te haga Santo, tal como Él es. El Espíritu Santo te responderá. Él te lo dirá; Él te transformará a la semejanza de Jesús. Al llegar a conocerlo personalmente; tu vida nunca, nunca, nunca será la misma. ¡Ven y prueba lo bueno que es el Señor!

CAPÍTULO 3

Caminarás Conmigo

"Acercaos a Dios, y él se acercará a vosotros."

(Santiago 4:8 RVR1960)

El ser santo no significa parecerse a Dios sino el estar lleno de Dios. Suena imposible, ¿no? Cuando somos niños aprendemos a ser más o menos como son nuestros padres, cómo actúan en las situaciones, cómo responden, cómo hablan y como son sus palabras, su tono de voz, su buen y su mal comportamiento. No fueron perfectos, pero eso fue todo lo que tuvieron para darte. Algunos de nosotros ni siquiera tenemos padres a quienes admirar. Pero estoy aquí para decirte que no eres huérfano; tu verdadero padre es Dios, o como yo lo llamo, "*Papa Dios*".

Dios está a nuestro alrededor y, sin embargo, la mayoría de nosotros no nos damos cuenta. Para poder conocerlo debes aprender Su nombre. Por ahora, te diré que Su verdadero nombre es "*Yo Soy*". Aprenderás en la Biblia que Él es realmente conocido por muchos nombres, y no estoy tratando de confundirte. Solo conoce que Él es el Dios real, nuestro Señor, y Él desea que lo conozcas como Dios Padre (Abba Padre). Él se presenta a ti como tres personas siendo una sola: el Padre, el Hijo y su Espíritu Santo. Dios son tres personas en una.

Sabiendo esto, Dios nos dejó una carta de amor, la Biblia, para que pudiéramos leer con Su Espíritu Santo y aprender todo acerca de Él. Y cuando tu vida no es como se supone que debe ser, quédate a solas con Dios y llévate la Biblia contigo. Pídele a Su Espíritu que te enseñe cómo leerla, que te enseñe cómo Él es realmente, cuál es Su verdadero nombre, cómo reacciona ante cada situación, cómo y cuánto te ama y cómo ama a los demás. Que te diga lo que lo conmueve, lo que lo alegra, lo que lo entristece. Pídele a Dios que te enseñe a caminar con Él. Dile que quieres conocerlo y amarlo, y que te ayude a hacer precisamente eso. Ésta podría ser la conversación más importante que puedas tener en tu vida. Y luego, piensa profundamente en lo que Él te dice.

No sé tú, pero yo amo a mis padres más de lo que las palabras pueden decir, pero se supone que nuestras vidas no son para ser reflejo de ellos, sino reflejo de Dios. Él nos creó para ser Sus hijos. Dios pensó en nosotros, tú y yo, incluso antes de la fundación del mundo. Nuestros padres son portales divinos, lo creas o no, porque, sin ellos, no estarías aquí. Es nuestra elección mejorar nuestra vida y la de los demás, y la única manera es ser como Dios. No estoy diciendo la forma en que crees que Dios es, sino la forma en que Dios realmente es. Sólo lo conoceremos aprendiendo de Él. Habla con Dios; encontrarás que Dios quiere y te hablará. Tu vida comenzará a cambiar de forma lenta pero segura.

Sé honesto con Él; las mentiras no harán ninguna diferencia porque Él sabe absolutamente todo sobre ti. Él te conoce mejor de lo que tú conoces. Dios conoce cada detalle de tu vida, incluso las cosas de las que están escondidas en ti. Se humilde, pregúntale cualquier cosa y estate dispuesto a escuchar. Descubrirás que Él quiere responderte. Una buena pregunta para Él sería: "*¿Cómo puedo acercarme a Ti? ¡Muéstrame el camino hacia Ti!*" Él te lo dirá. El Espíritu Santo te lo dirá en tu corazón.

No tienes que ser infeliz; no tienes que estar deprimido; no tienes que ser esclavo de nada, o estar en una situación en la que sabes, en tu corazón, que no perteneces. Estás creado para ser libre. Fuiste creado para ser santo. Como creyente nacido de nuevo, puede que no seas perfecto según las normas de este mundo, pero tendrás un corazón perfecto ante Dios.

Un día te enfrentarás a Él. En cuanto a mí, quiero ser un reflejo de mi Creador, de Dios. Puedo caerme un millón de veces, pero sé que según vaya caminando con Dios, Él me levantará una y otra vez. Es tu elección; siempre será tu elección. Pero solo tienes una vida para vivir; piensa profundamente en cómo te gustaría vivirla. Se paciente contigo mismo. Te seguirás cayendo, así como un bebé que aprende a caminar. Pero ten por seguro que cuando invoques Su nombre, el Señor te levantará. Él sabe que somos carne.

Deja que la luz de Su Palabra ilumine tu camino. Él siempre te está guiando. Recuerdo un momento en que me sentí confundida acerca de a dónde iba y no sabía qué hacer. Tenía miedo de seguir adelante sin conocer absolutamente la dirección de Dios. Estaba parada en mi sala y le dije al Espíritu Santo sin rodeos: "Señor, no estoy segura de si éste es el camino que quieres que vaya". Y seguí caminando hacia mi habitación. Mientras caminaba, escuché claramente al Señor cuando dijo: "¿Quién te dijo que no te estaba guiando?" ¡Tenía tanta razón! ¿Quien me dijo eso?

Esto me recuerda en el libro de Génesis cuando Dios le hace una pregunta similar a Adán después de que comió del fruto prohibido. Dios llamó a Adán y le preguntó: "*¿Dónde estás?*" Él respondió a Dios que se había escondido porque tenía miedo porque se encontraba desnudo. Y Dios le preguntó: "*¿Quién te dijo que estabas desnudo?*" Seguramente no fue Dios quien le dijo a Adán que estaba desnudo, ni a mi tampoco que no estaba siendo guiada por Él. Es obra del enemigo el hacernos pensar que estamos desnudos, que no tenemos la cobertura de Dios, y por lo tanto, no estamos siendo guiados. Recuerdo constantemente este momento en mi caminar con el Espíritu de Dios cada vez que no veo claro mi camino.

A medida que caminas con Dios, comenzarás a cambiar. Y a medida que cambies, verás cómo cambia también todo lo que te rodea. Esta no es la receta completa, pero ten confianza en esto: Dios te guiará hasta el final. Él nunca te dejará ni te abandonará. Solo confía en Él. Él te guiará y tú simplemente lo seguirás. Esta es la verdad; Dios te ama más de lo que puedas imaginar, perdonándote cuando te arrepientes y más que dispuesto a llevarte en este caminar con Él.

Capítulo 4

Estarás Cubierto Con Mi Amor

"Bienaventurados los que no vieron y creyeron."

(Juan 20:29 RVR1960)

"Me llevó a la casa del banquete, Y su bandera sobre mí fue amor."

(Cantares 2:4 RVR1960)

Cuando miramos el significado de una bandera, encontramos que significa la representación, la bandera de la soberanía de un país, señor o caballero. Este versículo habla de la soberanía del rey sobre Su amada. "Su bandera sobre mí era amor" habla del poder con el que el rey ha cubierto a su amada y que este poder era amor.

"Y nosotros hemos conocido y creído el amor que Dios tiene para con nosotros. Dios es amor; y el que permanece en amor, permanece en Dios, y Dios en él."

(1 Juan 4:16 RVR1960)

Dios es amor, y Él ha puesto Su bandera sobre nosotros, Su iglesia. Su bandera es el amor. El rey nos ha cubierto con su amor, diciéndole al mundo, "ella es mía", yo la amo, mi amor está sobre ella, y ahora ella está en mi amor. Ella está protegida porque es amada por mí y es mía.

Cuando pensamos en el amor, pensamos en un sentimiento. Dios creó los sentimientos. Son emociones fuertes. Ellos nos hicieron quienes somos. Pueden conmovernos, a veces incluso es abrumador. Pero muchas veces, cuando nos guiamos solo por los sentimientos, estos pueden hacer que vayamos por el camino equivocado. La verdad es que se supone que no debemos permitir que los sentimientos nos guíen, ellos no son guía. Aunque un sentimiento tiene el potencial de conmovernos, es indigno de confianza si no se origina en el Espíritu de Cristo dentro de nosotros. De Dios mismo dentro de nosotros. Se supone que debemos seguir al Espíritu Santo de Dios y Su Palabra; entonces, Él nos guiará a toda la verdad.

Una vez que estés siguiendo al Espíritu Santo, las emociones fluirán de tu ser interior y te sobrepasarán. ¡Todo lo que Dios es, tú te conviertes! Una vez que estás en la verdad, la verdad te rodea. Una vez que estás en el amor de Dios, Su amor te rodea. No hay nada mejor que estar enamorado de Dios y sentir Su amor por nosotros. Te preguntaras, "¿Cómo puedo lograr esto?" Dios nos dice,

"Pero tengo contra ti, que has dejado tu primer amor."

(Apocalipsis 2:4 RVR1960)

Cuando viniste a Jesús por primera vez, estabas tan apasionado en tu amor por Él. ¿Te acuerdas? Entiendo ahora que cuando me encontré con Jesús cara a cara, cuando se me reveló como el Hijo de Dios, mi Salvador y Redentor, su bandera vino sobre mí y era amor. Yo estaba dentro de Él como Él estaba dentro de mí. Estaba enamorada. Recuerdo caminar sobre una nube 24/7. Les decía a mis compañeros de trabajo: "*¿No es Jesús el nombre más hermoso*?" Algunos amigos en la iglesia solían decirme: "*¡Oh, estás en tu primer amor!*" Y siempre pensé, ¿Qué hay de malo en eso?

¡Debemos vivir enamorados de Dios todo el tiempo! Sin embargo, han pasado muchos años y hay momentos en que ya no siento Su amor como antes. Puedo ver cómo los temores intentan apoderarse de mí incluso cuando sé en mi corazón que Jesús me ama. Por lo general, es porque no lo siento. Ahora entiendo por qué se supone que no debemos construir nada ni seguir los sentimientos porque son fugaces e inciertos. Y, sin embargo, nos han sido dados por Dios y nos han hecho quienes somos. Entonces, ¿cómo podemos confiar en ellos? Solo vale la pena seguir los sentimientos que fluyen de la verdad en Su Palabra y Su Espíritu. Enamórate de Jesús de nuevo. El Espíritu siempre te revela y te lleva a Él. Cuando sientas que tu amor por Él está tibio o incluso frío, sé honesto y díselo al Espíritu Santo. Él responderá rápidamente.

Podrías comparar estar enamorado de Jesús a cuando te enamoras por primera vez de alguien. Sientes mariposas en tu barriga, y todo se vuelve tan hermoso. No puedes dejar de pensar en esa persona tan especial. ¡Ese amor te consume! No temes a nada; puedes hacer cosas realmente locas. Pero cuando te enamoras de Jesús, cuando llegas a conocerlo personalmente, ¡guau! Nunca vuelves a ser el mismo. Él se vuelve uno contigo, y tú eres tomado. Tú le perteneces para siempre. Si aún no conoces este tipo de amor, significa que no lo has conocido. Puede que sepas todo acerca de Él, pero no lo has tocado con tu espíritu. Sé bautizado con el Espíritu Santo. Tu quieres que Él tome todo de ti.

¡Todo lo que Dios tiene para ti es lo que tu realmente quieres! Comienza llamando al Espíritu Santo para que venga a ti mientras tu te acercas a Él. En tu tiempo devocional, en tu lugar de oración, quédate quieto, espera Su presencia…solo espera. Espera el tiempo que sea necesario. Tu quieres conocer personalmente al Espíritu de Dios. Mientras lees la Palabra de Dios, díle que venga y te enseñe Su Palabra. Habla con Él con tu boca y con tu corazón. Pronto sentirás Su dulce presencia a tu alrededor. Podrías comenzar a oler Su exquisito aroma del incienso. Puedes sentir cuando el Espíritu Santo besa tu frente. Puedes sentir cuando Él toma tu mano. Sabemos que Cristo vive en nosotros, pero en Su presencia manifestada, puedes sentirlo más y más fuerte mientras esperas en Él. Recuerda que Él nos dijo,

> *"Estad quietos, y conoced que yo soy Dios;"*
>
> *(Salmos 46:10 RVR1960)*

Es en ese momento, en Su presencia, donde está Su amor. Pídele más de su amor. Cantadle como lo hizo David; canta tus propias canciones de amor o las que te vengan a la mente. Solo dile: "*Quiero amarte más*". Venid a Él, y Él ciertamente vendrá a vosotros.

> *"Como el Padre me ama a mí, así los amo yo a ustedes. Permanezcan en mi amor."*
>
> *(Juan15:9 BHTI)*

> *"Tu siervo soy yo, dame entendimiento Para conocer tus testimonios."*
>
> *(Salmos 119:125 RVR1960)*

¡Necesito conocerte más, todo acerca de Ti, muéstramelo en Tu Palabra! ¡Estoy muy enamorada de ti! Deja que Él te hable a través de Su Palabra. Descubrí que es con Su amor que puedo amar a los demás. No con mi propio amor, sino con el de Él.

> *"Porque Dios me es testigo de cómo os amo a todos vosotros con el entrañable amor de Jesucristo."*
>
> *(Filipenses 1:8 RVR1960)*

En mi tiempo de oración, hay una cosa que siempre le pido al Señor, y es esta: "¡*Señor, no me dejes andar desnuda! Vísteme con Tu amor y con Tu Gloria. ¡Vísteme de Ti mismo, pero nunca jamás me dejes caminar desnuda!*" Estoy tan enamorada de Él Señor que necesito saber que estoy cubierta con Él dondequiera que vaya. El amor de Dios me cubre y se extiende a los que me rodean. Su Gloria contiene todo lo que Él es y todo lo que Él puede hacer. Es la atmósfera donde ocurren los milagros. Toca incluso a los intocables. Incluso cuando no hablo, el amor y la gloria de Dios no son sin respuesta ni sin límite. Esta es una oración mía continua porque sé lo que no tengo. Su amor por los demás es único y no puedo producirlo por mí misma. Redime, cambia y nos cubre. Es como la túnica de José; simboliza poder (ver Génesis 3).

Su Gloria hace Sus obras y trae revelación. Esta es mi oración, y siempre ha sido respondida. El amor de Dios te dará poder para hacer hazañas. ¡Es amor sobrenatural! Con su amor, he podido amar a los que no son amados. He sido movida a hacer lo que Él me pide que haga, todo por Su amor. ¡A veces me doy cuenta de que el mundo no tiene idea de cuánto Dios los ama! Puedo decir con confianza: "*Mi Amado es mío, y yo soy Suya*". (Cantar de los Cantares 2:16 NVI)

> *"Que todo lo que soy alabe al Señor; con todo el corazón alabaré su santo nombre."*
>
> *(Salmos 103:1 NTV)*

Me arrodillo ante Ti maravillada de Tu amor.

Capítulo 5

Tu Serás Mi Oveja

"Mis ovejas reconocen mi voz, y yo las conozco y ellas me siguen."

(San Juan 10:27 DHH94PC)

Jesús es nuestro Pastor, y es Él es amoroso. Recuerda, Dios es amor. Él nos ama tanto que dio su vida por nosotros. Una cosa es amar al Señor, pero una vez que escuchas Su voz diciéndote cuánto te ama, ¡eres transformado para siempre! Nada se compara con saber que eres amado por Dios. Si aún no has experimentado el gozo de escucharlo, sigue practicando su presencia. Con el tiempo, podrás escuchar Su dulce voz. En cualquier momento, en cualquier lugar, Dios nos está hablando a ti y a mí. Puede que nos encontremos tan ocupados mientras nuestro mundo sigue girando, pero Dios te hablará en medio de todo. Su deseo es que lo escuches cada hora de cada día. ¡Él quiere decirte cuánto te ama! ¡Eres tan especial para Él! Ustedes son Sus ovejas, y Sus ovejas oyen Su voz. ¡Sus ovejas se sienten amadas!

Deja que Su presencia y Su amor te rodeen, te sumerjan, te saturen, te abarquen, te envuelvan, te cubran y te consuman mientras te entregas a Él. ¡Que Él te vista con Su Gloria y te llene de Su alegría! Solo necesitas preguntarle y esperar. ¡Déjalo que te llene de su amor! ¿Quieres conocer Su Gloria? La conocerás cuando conozcas Su amor.

"Ustedes aman a Jesucristo a pesar de que nunca lo han visto. Aunque ahora no lo ven, confían en él y se gozan con una alegría gloriosa e indescriptible."

(1 Pedro 1:8 NTV)

"Me consume la pasión por tu Templo, me abate el desprecio de quienes te desprecian."

(Salmos 69:9 BLPH)

"Oh Dios, tú eres mi Dios y al alba te busco; de ti tengo sed yo por ti desfallezco en una tierra árida, seca y sin agua."

(Salmos 63:2 BHTI)

A veces lo amo tanto que me siento enferma, enferma de amor; mi corazón y mi alma lo anhelan. A menudo oro: "*Regáñame, Señor, pero nunca me alejes de Tu presencia*". Y es que cuando siento Su amor, de repente, el miedo desaparece. Es tan cierto; ¡Su amor perfecto arroja fuera todo temor!

"Amor y temor, en efecto, son incompatibles; el auténtico amor elimina el temor, ya que el temor está en relación con el castigo, y el que teme es que aún no ha aprendido a amar perfectamente."

(1 Juan 4:18 BHTI)

Si lidias con miedos y ansiedad, ¡simplemente enamórate de Jesús! Sentir Su amor por mí es liberador. No hay nada que no pueda hacer. Estoy libre de tratar de impresionar a la gente; soy libre para cometer errores; soy libre de condenación; soy libre para cantar canciones de amor a mi Señor; soy libre de ser yo.

"Por eso, si el Hijo les da la libertad, serán verdaderamente libres."

(Juan 8:36 BHTI)

"El Señor está conmigo; no tengo miedo. ¿Qué me puede hacer el hombre? El Señor está conmigo; él me ayuda. ¡He de ver derrotados a los que me odian!"

(Salmos 118:6-7 DHH94PC)

¡Sé que Dios es por mí, que me cubre las espaldas! Se convierte en mi único héroe verdadero que siempre viene a rescatarme y a quien mi alma conoce muy bien. En Su amor, ves todo hermoso, y todo lo que ves tiene un significado. ¡Todas las cosas trabajan para bien! Señor, viniste a mí en mi dolor más profundo y simplemente me amaste y me liberaste. Me extendiste Tu Gracia, incluso cuando no lo merecía. ¡Qué hermoso y maravilloso eres! En Tu amor, puedo amar a los demás; Soy perdonado, y puedo perdonar a otros. Tu amor llena mi corazón.

Me vino a la mente un día que estaba sentada en mi cama, mirando por la ventana y hablando con Dios. Necesitaba escribir un artículo para la escuela sobre la gracia. Así que le pregunté al Señor: *"Señor, dime, ¿qué es la gracia? Conozco la definición, pero quiero que me la expliques*". Y en mi mente empezaron a correr recuerdos de mi vida antes de ser salvada. Empecé a mirarlos con gran tristeza. Entonces, de repente, vino mi hija Christina; ella tenía unos dos años. Ella vino detrás de mí en mi cama y con su dulce sonrisa me abrazó. Cuando sentí sus brazos a mi alrededor, mi corazón se derritió con su amor. Escuché al Señor decirme: "*Esta es mi Gracia*". Empecé a llorar. Ver Su amor por mí en los ojos de mi hija fue respuesta suficiente. Ahora conozco Su Amor y conozco Su Gracia.

"Nosotros le amamos a él, porque él nos amó primero."

(1 Juan 4:19 RVR1960)

Porque Tú me amaste primero, ¡puedo amarte ahora! ¡Gracias, Jesús, eres el que ama mi alma!

Capítulo 6

Seré Tu Refugio

"Mi refugio y mi escudo eres tú; en tu palabra he puesto mi esperanza."

(Salmos 119:114 RVA2015)

Cuando tengo miedo, o cuando tengo preguntas que solo Dios puede responder; cuando no sé qué hacer ni adónde ir; cuando me encuentro tan enferma que sólo el abrazo de mi Dios me hace sentir mejor; cuando me he portado mal y necesito que Dios me perdone o me ayude a perdonar; o cuando quiero escuchar su voz y sentir su cercanía y abrazo; voy a Él. Voy a mi escondite secreto donde está Dios. Donde sus palabras me dan esperanza, alimentan mi fe y me dan vida, es en su presencia donde quiero estar.

Déjame contarte sobre mi lugar secreto: cierro los ojos y dejo que mi imaginación me lleve a un hermoso jardín lleno de flores, hermosos colores, deliciosos olores, muchos pajaritos y hermosos árboles, con colores que no tengo palabras para empezar para describir; y sobre todo, mi dulce sauce llorón. Todo a mi alrededor es tan vívido y tan hermoso. ¡Puedo escuchar el canto de los pájaritos! Junto al sauce, hay un río con flores frescas rodeando sus orillas. Debajo del sauce, hay un viejo banco. A veces allí es donde me encuentro con mi Señor.

Para ir allí, tengo que bajar unas hermosas escaleras de piedra. Le pido al Espíritu Santo que tome mi mano y me ayude en cada paso. Son largos, y mientras bajo las escaleras, siento la emoción en mi corazón a medida que Su presencia crece más y más. Llego a una césped verde y perfecto, y veo flores por donde quiera que miro. Hay una hermosa fuente ornamental de niveles que arroja agua mientras los pajaritos se detienen y beben de ella. A mi izquierda está el sauce donde veo a Jesús esperándome, y yo corro hacia Él con gran alegría.

Jesus me habla, me responde, me aconseja y me ama. No hay juicio, solo Su dulce abrazo. Su voz es tan dulce que cuando habla, mi cuerpo tiembla. Jesús me permite poner mi cabeza en Su regazo y ahi descanso. Él es mi paz y mi lugar de descanso. Jesús es mi refugio, mi escudo y mi esperanza. Mi castillo y mi libertador. Su paz y Su amor son los que me rodean. Todo está bien con mi alma. ¡Estoy tan llena de Él!

Comienzo a hablarle y Él me escucha muy atento a cada palabra. Aquí le pido que me revele sus secretos, que me cuente del cielo. Así van pasando los minutos y hasta las horas. ¿Y mis problemas? ¿Qué problemas? No hay dolor; no hay necesidad en Su regazo. El Señor es mi todo, y en Él estoy completa.

Pídele al Espíritu Santo que tome tu imaginación y la santifique. Una vez que esté en Sus manos, pídele que cree tu propio lugar hermoso y secreto. Espera hasta que Él complete la tarea. Solo le estás dando las herramientas para crear, y cuando esté hecho, te llevará a donde Él quiere que estés. No es lo que imaginas que es, sino lo que Él quiere que sea. Sólo la imaginación que elevas a Dios y cedes al Espíritu Santo es santa. Así como Jesús tomó el pan y lo bendijo, deja que Él tome tus pensamientos y los bendiga.

"Si me piden cualquier cosa en mi Nombre, Yo lo haré."

(Juan 14:14 PDDPT)

Jesús dijo, *"cualquier cosa"*. Deja que Él tome tu imaginación que Él santificó y te lleve a tu lugar secreto. Este es un lugar que puedes llevar contigo a cualquier parte; no importa dónde estés. ¡Jesús vive dentro de ti! Es dentro de ti donde está el lugar donde siempre lo encontrarás. Su amor y Su verdad te esperan. ¡*Señor haz Tu camino en mí!*.

Capítulo 7

Tu Juzgaras Con Justicia

"Recuerden esto, queridos hermanos: todos ustedes deben estar listos para escuchar; en cambio deben ser lentos para hablar y para enojarse. Porque el hombre enojado no hace lo que es justo ante Dios."

(Santiago 1:19-20 DHH94PC)

¡Qué rápido nos enojamos! Escuchamos lo que la gente dice de algo, e inmediatamente lo consideramos cierto. Entonces, sin conocer a la persona o sin saber qué pasó, estamos de acuerdo con lo que la gente dice. ¡Cuánto daño hacemos a los demás cuando actuamos sobre lo que acabamos de escuchar! Respondemos rápidamente y nos enfadamos con esa otra persona. A veces hacemos un daño irreparable al no apartarnos de esa conversación y buscar la verdad antes de sacar nuestras propias conclusiones y enfadarnos. Tenemos que tener cuidado; podríamos estar de acuerdo con una ofensa. Podríamos ser tan culpables con solo participar en esa conversación.

Puede ser solo una sonrisa o un asentimiento de nuestras cabezas para estar de acuerdo con lo que dicen sin tener una imagen completa. ¿Qué pasa si es una mentira? ¿Qué pasa si estamos escuchando un lado de la historia y no la historia completa? Entonces, al ponernos de acuerdo con esa historia, ¿estamos participando en la mentira y el chisme? ¿Estamos juzgando mal? ¿Estamos de acuerdo con el pecado de ofendernos?

¡Qué fácil es caer en la trampa del enemigo de nuestras almas! Dios nos dice que no juzguemos, pero si tenemos que juzgar, juzguemos con justicia o según la verdad.

> *"No juzguen según las apariencias sino juzguen con justo juicio."*
>
> *(Juan 7:24 RVA2015)*

Así que cuando oigamos algo acerca de cualquier asunto o persona, oigamos o escuchemos rápidamente, entonces hasta que sepamos la verdad, seamos lentos para hablar. No te pongas demasiado rápido del lado del que viene con la historia. Necesitamos aprender a permanecer en silencio, esperando que Dios nos revele la verdad. Debemos, a toda costa, resistir las ofensas y resistirnos a emitir un juicio erróneo. Si lo haces, arrepiéntete rápidamente. Pide perdón y Dios te perdonará y te limpiará de toda maldad. Habla con el Espíritu Santo sobre el asunto y pídele sabiduría para que puedas ver cómo lo ve Dios. Se necesita mucho autocontrol. ¿Sabías que Dios está más en el negocio de salvar que en el negocio de juzgar?

> *"Porque Dios no envió a su Hijo al mundo para condenar al mundo sino para que el mundo sea salvo por él."*
>
> *(Juan 3:17 RVA2015)*

> *"Si alguien oye mis palabras y no las guarda yo no lo juzgo; porque yo no vine para juzgar al mundo sino para salvar al mundo."*
>
> *(Juan 12:47 RVA2015)*

¡Por eso Dios envió a Jesús al mundo, no para juzgarlo sino para salvarlo! Tal vez necesitamos aprender a hacer como Jesús lo hizo. ¿Recuerdas cuando la mujer adúltera fue traída a Jesús para que Él la juzgara?

"Entonces los escribas y los fariseos le trajeron una mujer sorprendida en adulterio y, poniéndola en medio, le dijeron: —Maestro, esta mujer ha sido sorprendida en el mismo acto de adulterio. Ahora bien, en la ley Moisés nos mandó apedrear a las tales. Tú, pues, ¿qué dices? Esto decían para probarle, para tener de qué acusarle. Pero Jesús, inclinado hacia el suelo, escribía en la tierra con el dedo. Pero, como insistieron en preguntarle, se enderezó y les dijo: —El de ustedes que esté sin pecado sea el primero en arrojar la piedra contra ella. Al inclinarse hacia abajo otra vez, escribía en tierra. Pero cuando lo oyeron, salían uno por uno comenzando por los más viejos. Solo quedaron Jesús y la mujer, que estaba en medio. Entonces Jesús se enderezó y le preguntó: —Mujer, ¿dónde están?. ¿Ninguno te ha condenado? Y ella dijo: —Ninguno, Señor. Entonces Jesús le dijo: —Ni yo te condeno. Vete y, desde ahora, no peques más]."

(Juan 8:3-11 RVA2015)

Jesús se tomó su tiempo para pensar y escribió en el suelo lo que el Espíritu Santo le estaba diciendo. Su respuesta fue contraria a lo que esperaban. La respuesta de Jesús fue: "*El de ustedes que esté sin pecado sea el primero en arrojar la piedra contra ella.*" La única forma en que podemos estar de acuerdo o en desacuerdo, juzgar o no juzgar, es escuchando la verdad de Dios en nuestros corazones.

"Yo no puedo hacer nada por mi propia cuenta. Juzgo según el Padre me ordena, y mi juicio es justo, pues no trato de hacer mi voluntad sino la voluntad del Padre, que me ha enviado."

(Juan 5:30 DHH94PC)

Pónte los espejuelos de Dios antes de estar de acuerdo con las mentiras del enemigo. Después de haber pensado en tu respuesta en tu corazón, solo entonces podrás juzgar con justicia. ¿Qué haría Jesús?

> *"Ustedes juzgan según los criterios humanos. Yo no juzgo a nadie; pero si juzgo, mi juicio está de acuerdo con la verdad, porque no juzgo yo solo, sino que el Padre que me envió juzga conmigo."*
>
> *(Juan 8:15-16 DHH94PC)*

Sí, Él no juzga como un hombre, según su humanidad. Jesús juzga como lo haría Dios, mirando el corazón de la persona. Él le pregunta y habla constantemente con el Espíritu Santo. Sólo Él te dirá la verdad. Cuando nos enfadamos de inmediato, es posible que nos equivoquemos. Una vez que abres la boca, es difícil volver atrás. ¡Toma tu tiempo! Sé sincero. Aprende a ver a las personas y las circunstancias según las ve Dios. Nuestro Dios es misericordioso y es bueno. Él es rápido para perdonar. Lo que te hace enojar quizás no enoje a Dios. Lo más seguro lo haría reaccionar con misericordia y amor. Pídele al Espíritu Santo que te preste sus ojos y sus oídos para que puedas juzgar como Él juzga. Sé lento para la ira. Aprendamos a ser más piadosos, más llenos de Dios.

Capítulo 8

Te Diré La Verdad

Era mi turno de ir al juzgado para servir como jurado como testigo en un caso. Ese día no tenía miedo y no buscaba ningún motivo para no ser escogida. De hecho, era mi primera vez, y estaba emocionada de ir y servir como testigo en lo que fue, para mí, un evento muy interesante.

Recuerdo que éramos un grupo de personas esperando en silencio ante el juez mientras nos hacía preguntas relacionadas con el conducir y el alcohol. Me di cuenta de que me prestaba atención, ya que yo era farmacéutica y también había tenido un accidente automovilístico hace muchos años tras. Luego, el grupo en el que yo estaba fue conducido a una sala de conferencias donde teníamos que examinar todas las pruebas.

Sucedió que el caso se trataba de un hombre que manejaba bajo los efectos del alcohol y se había comido un semáforo en rojo sin detenerse. Se suponía que debíamos decidir si el hombre era culpable o no. De todos, en esa habitación, yo era la única que decía que el hombre era inocente. Estaba dejando que mi corazón misericordioso sacara lo mejor de mí. Estuvimos allí durante horas y todos estaban cansados. Estaban convencidos de su juicio culpable y estaban un poco molestos conmigo.

Sentía la presión y me sentía horrible, pero no podía abandonar a ese hombre. Entonces, decidí excusarme para ir al baño. Necesitaba orar. Puse mi rostro contra la pared y le pedí al Espíritu Santo: "*Espíritu Santo, por favor dime qué hacer. ¿El hombre es culpable o no?*" Y esperé. Entonces, el Espíritu me habló audiblemente: *"El hombre es culpable, no solo por esta vez, sino que esta es la tercera vez".*

¿Qué? La verdad delató mi actitud de misericordia. No estaba sintiendo ninguna emoción al respecto. ¡Tenía la verdad! Solo agradecí a Dios y caminé al salón de veredictos con mis noticias. Solo les dije: "*Está bien, él es culpable no solo por esta vez, sino que esta es la tercera vez*". ¡Todos en esa sala dijeron que se suponía que no debía decir eso si no tenía ninguna evidencia! Tenían razón, y me corregí y dije que estaba de acuerdo con los demás en que el hombre era culpable.

Finalmente, fuimos conducidos ante el juez para dar nuestro veredicto. Declaramos culpable al hombre acusado. Entonces el juez comenzó a decirle al hombre que como no era la primera vez sino la tercera, iba tener que ir a la cárcel. Todos los miembros del jurado giraron la cabeza hacia mí al mismo tiempo, como diciendo: "*¿Cómo lo supiste*?" Yo no sabía toda la verdad, pero Dios la sabía. Si hubiera dejado que mi actitud misericordiosa se llevara lo mejor de mí, habría dejado que un hombre que tal vez necesitaba un tiempo en prisión para reconsiderar sus acciones saliera libre y continuara su camino de autodestrucción o tal vez causara un accidente o algo peor. *Gracias, Espíritu Santo; Tú eres el Espíritu de la verdad.*

Capítulo 9

Conocerás El Significado De La Gracia

"Cuando Jehová tu Dios te haya introducido en la tierra que juró a tus padres Abraham, Isaac y Jacob que te daría, en ciudades grandes y buenas que tú no edificaste, y casas llenas de todo bien, que tú no llenaste, y cisternas cavadas que tú no cavaste, viñas y olivares que no plantaste, y luego que comas y te sacies, cuídate de no olvidarte de Jehová, que te sacó de la tierra de Egipto, de casa de servidumbre."

(Deuteronomio 6:10-12 RVR1960)

En el Antiguo Testamento, o bajo el Antiguo Pacto, Dios nos muestra el significado de Gracia. Él permitió que el pueblo de Israel entrara en un país donde no hicieron nada por sus propios esfuerzos y, sin embargo, se les permitió disfrutar de todo hasta que estuvieran satisfechos. Él abre la puerta a

"una tierra que fluye leche y miel". (Deuteronomio 26:9 RVR 1960)

Esto es Gracia, cuando Dios nos permite entrar en algo que no merecemos porque no trabajamos con nuestro esfuerzo para adquirirlo. Es todo gratis, un lugar donde hay todo lo que podamos necesitar, y podemos disfrutarlo hasta quedar satisfechos.

Sin embargo, en el Nuevo Testamento, o Nuevo Pacto, podemos ver a Dios haciendo algo más grande y maravilloso. No solo está abierta la puerta celestial para que entremos, sino que esta vez, la puerta se deja abierta. La puerta o portal permanece abierta para que entremos y salgamos sin que nada nos detenga. ¡Qué triste es cuando Dios llama a Él y no respondemos!

Imagina a nuestro Pastor, Jesucristo, parado junto a una puerta abierta y llamándonos a nosotros, Sus ovejas, e invitándonos a entrar. Cuando respondemos a su llamado y vamos a esa puerta, nos damos cuenta de que Jesús mismo es la puerta. Nos dice,

> *"Yo soy la puerta; el que por mí entrare, será salvo; y entrará, y saldrá, y hallará pastos."*
>
> *(Juan 10:9 RVR1960)*

Para entrar, tenemos que pasar por Él. Una vez que pasamos por Él, todo cambia. Salimos de las tinieblas a su luz admirable.

> *"Él nos ha librado de la autoridad de las tinieblas y nos ha trasladado al reino de su Hijo amado,"*
>
> *(Colosenses 1:13 RVA2015)*

Ahora ves con Sus ojos, piensas con Su mente, sientes con Su corazón y escuchas con Sus oídos. Todo lo que es de Jesús, ahora vemos que te pertenece a ti. Hemos entrado en el Reino de la luz, el Reino de Dios. Entramos en Su vida, Su vida eterna. Y entramos en su amor.

Revestido de Cristo, caminas en Él. Te das cuenta de que tú y Jesús son uno. Entonces, al escuchar el llamado de Dios y aceptar Su entrada, recibimos a Cristo en nosotros. Cuando cruzamos esa puerta, estamos entrando en Su Reino. Estamos entrando por Jesús, y nos vemos revestidos de Él. Estamos en Cristo. Nos regocijamos al darnos cuenta de que Jesucristo está ahora en nosotros y nosotros en Él.

> *"¡Yo soy de mi amado y mi amado es mío! Él apacienta entre los lirios."*
>
> *(Cantares 6:3 RVA2015)*

En Su Reino, Dios ha preparado para nosotros una vida de abundancia.

"El ladrón no viene sino para robar, matar y destruir. Yo he venido para que tengan vida, y para que la tengan en abundancia."

(Juan 10:10 RVA2015)

Es un lugar donde hay abundancia de todo. Donde no necesitamos nada, y vivimos sin carencia. Y donde conseguimos todo de gratis. No hicimos nada para poder entrar a este lugar, y no podemos hacer nada más que disfrutarlo al máximo.

Este lugar está lleno de la Gloria de Dios. Lleno de Su presencia, lleno de todo lo que Él es. Lo sientes cuando entras; sientes Su abundante amor. Sientes su gran misericordia. Sientes su gran pasión. Sientes Su perdón. Y eres dueño de todo lo que Jesús posee. Todo se nos da. Incluso Su trono, porque ahora estás sentado con Él, en Él.

"Y juntamente con Cristo Jesús, nos resucitó y nos hizo sentar en los lugares celestiales"

(Efesios 2:6 RVA2015)

Y revestido de Jesucristo, nos dio Su autoridad aquí en la tierra.

"He aquí, les doy autoridad de pisar serpientes, escorpiones y sobre todo el poder del enemigo; y nada les dañará."

(Lucas 10:19 RVA2015)

Estamos bien protegidos, y nada nos dañará.

"Acerquémonos, pues, con confianza al trono de la gracia para que alcancemos misericordia y hallemos gracia para el oportuno socorro."

(Hebreos 4:16 RVA2015)

Ahora, tenemos entrada al trono de la Gracia, al trono de Dios. El velo ha sido rasgado. Nada impide nuestra relación con nuestro Dios. Nada puede detenerse en el camino a nuestro Padre. El Padre de Jesús es ahora nuestro verdadero Padre; no hay nada que nos separe de Dios. Hemos sido adoptados en Su familia.

"nos había destinado a ser adoptados como hijos suyos por medio de Jesucristo, hacia el cual nos ordenó, según la determinación bondadosa de su voluntad."

(Efesios 1:5 DHH94PC)

Dios el Padre nos ve como ve a su Hijo Jesús. Él no mira las faltas que hemos cometido. Y si cometiésemos errores y pecáramos, nuestra nueva naturaleza nos convence y pronto nos arrepentimos. Y al confesar nuestros pecados, la sangre viva y preciosa de Jesucristo habla por nosotros. Somos perdonados y limpiados de toda maldad.

"Si confesamos nuestros pecados, él es fiel y justo para perdonar nuestros pecados y limpiarnos de toda maldad."

(1 Juan 1:9 RVA2015)

Jesús mismo es ahora nuestro abogado. Él ruega al Padre por nosotros.

"Hijitos míos, estas cosas les escribo para que no pequen. Y si alguno peca, abogado tenemos delante del Padre, a Jesucristo el justo."

(1 Juan 2:1 RVA2015)

Las acusaciones de Satanás ya no tienen ningún peso. Ya no hay nada que nos pueda separar de Papá Dios. Somos uno.

"Yo les he dado la gloria que tú me has dado para que sean uno, así como también nosotros somos uno."

(Juan 17:22 RVA2015)

Todo, la vida misma, lo que es eterno, Jesús lo comparte con nosotros. Si ya escuchaste el llamado de Jesús, acéptalo y atrévete a entrar. Tu vida será diferente; las cosas pasadas ya no serán; todas se vuelven nuevas.

> *"De modo que si alguno está en Cristo, nueva criatura es; las cosas viejas pasaron; he aquí todas son hechas nuevas."*
>
> *(2 Corintios 5:17 RVA2015)*

Si ya has escuchado el llamado del Padre y has aceptado que Jesús es tu corazón, ya eres contado como Su hijo, y ahora todo es tuyo.

> *"Así que nadie se gloríe en los hombres; pues todo es de ustedes —sea Pablo, sea Apolos, sea Pedro, sea el mundo, sea la vida, sea la muerte, sea lo presente, sea lo porvenir—, todo es de ustedes,"*
>
> *(1 Corintios 3:21-22 RVA2015)*

Ahora permanece en Cristo, y Él permanecerá en ti. Sólo entonces darás fruto para la vida eterna. Obedece las leyes de Dios que están ahora en tu corazón.

> *"Este es el pacto que haré con ellos después de aquellos días", dice el Señor; "pondré mis leyes en su corazón, y en su mente las inscribiré","*
>
> *(Hebreos 10:16 RVA2015)*

No olvides a quién perteneces, y no des lugar en tu corazón a otros ídolos o dioses porque nuestro Dios es un Dios celoso (ver Deuteronomio 6:13–15). No eches a perder todo lo que Jesús vino a darte, y recuerda siempre no enorgullecerte pensando que lo que tienes ahora lo ganas con tu propio esfuerzo.

> *"No sea que digas en tu corazón: 'Mi fuerza y el poder de mi mano me han traído esta prosperidad'. Al contrario,*

acuérdate del SEÑOR tu Dios. Él es el que te da poder para hacer riquezas, con el fin de confirmar su pacto que juró a tus padres, como en este día."

(Deuteronomio 8:17-18 RVA2015)

Todo viene de Dios y es para Dios. Solo podemos adorar a Aquel que merece toda adoración y gloria. Den gracias a Dios todos los días por todas sus bondades, siendo siempre agradecidos. *"Gracias, Dios mío, por toda Tu bondad, por todo Tu perdón. Gracias por invitarnos a entrar en Tu presencia y hacerte siempre accesible para nosotros. Gracias por darnos una vida nueva en Cristo Jesús, nuestro Señor, por trasladarnos del reino de las tinieblas al Reino de la luz. Gracias por tu Gracia. ¡Gracias, Padre, por tanto amor!".*

Capítulo 10

Tendrás Sabiduría

"Y si a alguno de ustedes le falta sabiduría, pídala a Dios —quien da a todos con liberalidad y sin reprochar— y le será dada."

(Santiago 1:5 RVA2015)

Cuando Jesús se nos revela como nuestro único Redentor y Salvador, nacemos de nuevo. Él viene a residir dentro de nosotros, y nosotros venimos a residir en Cristo. Él viene a vivir dentro de nosotros; por lo tanto, tenemos la mente de Cristo.

"Porque, ¿quién conoció la mente del Señor? ¿Quién lo instruirá? . Pero nosotros tenemos la mente de Cristo."

(1 Corintios 2:16 RVA2015)

"Porque los judíos piden señales, y los griegos buscan sabiduría; pero nosotros predicamos a Cristo crucificado: para los judíos tropezadero y para los gentiles locura. Porque lo necio de Dios es más sabio que los hombres, y lo débil de Dios es más fuerte que los hombres. Por él están ustedes en Cristo Jesús, a quien Dios hizo para nosotros sabiduría, justificación, santificación y redención;"

(1 Corintios 1:22-23, 25, 30 RVA2015)

Cuando le pedimos a Dios sabiduría, Él nos la da en abundancia y sin reproche. Una vez, mientras estudiaba la Palabra de Dios, Él me dio una visión en la que caminaba con Él por un camino oscuro lleno de basura a ambos lados. No entendía el motivo de la visión hasta que me di cuenta que en la basura se escondían unas cajitas adornadas con gemas y piedras preciosas. Pude verlos por el resplandor que emanaban contra la oscuridad y la suciedad. Cuando alcancé la primera cajita, estaba asombrada de las piedras brillantes de hermosos colores. Le dije al Señor: "*¡Mira qué hermosa!*". Y Él me respondió: "*Puedes cogerla*". Y mientras lo hacía, Él respondió: "*Ahora, es tuya*". Y yo dije: "*¡Gracias, mi Señor*!" Seguí caminando a través de la basura y seguí viendo pequeñas cajas de tesoros con piedras preciosas. Alcancé otra, y Él repitió lo mismo, "*Puedes cogerla; ahora es tuya.* Y seguimos caminando y cada vez me repetía lo mismo.

Esta visión tiene infinitas interpretaciones. Creo que el Señor me estaba diciendo que si no tenemos los ojos de Dios para ver, perdemos los tesoros entre la basura. Podríamos perder la luz de entre las tinieblas, la verdad de entre las mentiras. La sabiduría de Dios implica discernimiento, para que siempre podamos elegir la verdad en medio de todo lo que se nos presenta a diario. Para que podramos reconocer lo que es verdad y lo que es mentira. Es importante para Dios que aprendamos a ver como Él ve para conocer la voluntad de Dios en todas las cosas.

Es entonces cuando nuestro entendimiento se despierta espiritualmente, y somos capaces de leer y comprender la Palabra de Dios y hacer frente a las situaciones que se nos presentan día a día. Esta sabiduría de Dios es concedida por el Espíritu Santo y hay que pedirla constantemente. Tan pronto como nuestro entendimiento se ve frustrado u oscurecido por las preocupaciones carnales de este mundo, debemos pedirle a Dios Su sabiduría. Es como ponerse los ojos del corazón de Dios.

Tenemos que empezar a transformar y renovar nuestra mente a través de la Palabra de Dios y Su sabiduría:

> *"No se conformen a este mundo; más bien, transfórmense por la renovación de su entendimiento de modo que comprueben cuál sea la voluntad de Dios, buena, agradable y perfecta."*
>
> *(Romanos 12:2 RVA2015)*

La sabiduría de Dios es gratuita, por Gracia, como todo lo que Él nos da. Si necesitas sabiduría, se la pides a Dios, y Él te la da gratuitamente. Por ejemplo, a muchas personas les gusta escuchar al ministro o al pastor predicarles la Palabra en lugar de leerla ellos mismos en la Biblia. Aunque estamos llamados a predicar la Palabra, es como comer una comida que ha sido digerida por otra persona. Es nuestra responsabilidad estudiar la Palabra para la confirmación del Espíritu y para nuestra propia edificación.

La sabiduría de Dios es una de las manifestaciones o roles del Espíritu Santo (ver Isaías 11:2) y uno de Sus dones que Él está muy dispuesto a darnos (1 Corintios 12:8). La próxima vez, cuando le pidas sabiduría a Dios y abras la Biblia, comienza a leer como si Dios te hubiera puesto sus anteojos divinos. Ahora podrás leer, ver y comprender la Palabra espiritual. Este es el Pan de vida que Dios nos ofrece. Así podremos gustar la Palabra de Dios. Solo tenemos que orar y pedirle a Dios que nos dé Su sabiduría, no solo para leer la Biblia sino para cualquier circunstancia que se nos presente. ¿Cómo voy a manejar esta situación hoy? Dios, por favor dame tu sabiduría. No entiendo este versículo; Espíritu Santo, por favor dame tu sabiduría. Y las respuestas fluirán hacia ti porque comenzarás a ver cómo Él ve. *Gracias, mi Dios, por tu sabiduría. Que nunca nos la perdamos.*

Capítulo 11

Y Tu Profetizarás

"Esto hace más seguro el mensaje de los profetas, el cual con toda razón toman ustedes en cuenta. Pues ese mensaje es como una lámpara que brilla en un lugar oscuro, hasta que el día amanezca y la estrella de la mañana salga para alumbrarles el corazón."

(2 Pedro 1:19 DHH94PC)

Había terminado mi maestría en Consejería Cristiana, y había pasado varios años en mi ministerio público cuando estaba sirviendo como pastora. Trabajaba a tiempo completo como farmacéutica de un hospital para pacientes internados y, al mismo tiempo, pastoreaba una pequeña iglesia. Soy el tipo de persona que siempre me dedicaba a aprender, estudiar, leer y asistir a conferencias. Tenía esta hambre insaciable por la Palabra de Dios y me sentí inclinada a continuar mis estudios para completar mi doctorado en teología. Mi primera clase fue Profecía.

Estábamos en la escuela teológica el jueves por la noche, donde nos preparábamos como parte de la clase para ministrar profecía frente a muchos invitados. Me encontraba muy nerviosa porque aunque ya había profetizado antes, este servicio era parte de mi clase. Estaba muy nerviosa y me encontré orando y hablando con Dios en mi mente. Oraba: *"Señor, deja que Tus pensamientos estén en mis pensamientos, deja que Tu mente esté en mi mente".*

> *"Pues la Escritura dice: «¿Quién conoce la mente del Señor? ¿Quién podrá instruirle?» Sin embargo, nosotros tenemos la mente de Cristo."*
>
> *(1 Corintios 2:16 DHH94PC)*

Todos los redimidos y con nuestro espíritu en Cristo tenemos acceso a Su mente. No es que todos pensemos con Sus pensamientos porque esto está de acuerdo al nivel de crecimiento espiritual y de humildad alcanzado para que esto se haga realidad. El corazón y la mente tienen que ser uno. No puede haber el pensar una cosa y mañana otra y tener doble ánimo.

Cuando pasé al frente, empecé a llamar a la gente como el Espíritu me indicaba. Recuerdo haber sentido el llamar a una pareja mayor que estaba en la audiencia. Cuando se acercaron a mí, inmediatamente entré en un trance, donde pasaba al momento en que Jesús vino a ser bautizado en el río Jordán. Yo estaba parada en el lugar de Juan el Bautista. ¡Parecía surreal! Ciertamente no fue nada creado por mi imaginación. Sabía que era del Espíritu, no yo.

Esto era como una película, y yo era parte de ella; Yo estaba en Juan el Bautista, y vi claramente a través de sus ojos al Señor Jesús cuando entraba en las aguas. De mi boca salieron las palabras: "*No soy digna de desatar las correas de sus sandalias; por favor oren ustedes por mi.*" Mientras miraba a sus pies, me arrodillé ante ellos. Pusieron sus manos sobre mi cabeza y fueron ellos que comenzaron a profetizar sobre mí.

¡Qué maravilloso es nuestro Señor! Fue como entrar en un momento en un portal al pasado. De hecho, fui transferida a otro tiempo y a otro lugar. Y vi claramente como la imagen de Jesús se mostraba sobre esta pareja. Fue sobrenatural, y lleno de maravillas.

Cuando dejé el servicio e iba hacia mi carro algunos amigos de mi clase se acercaron y me dijeron: *"¡El servicio fue excelente! ¿Sabes quiénes eran los que profetizaron sobre ti?"* Y yo respondí: *"No, ¿quiénes eran?"*. Y me respondieron: *"Son unos misioneros que vivieron su vida en África, que acababan de llegar a los Estados Unidos. ¡Qué bendecida eres!"*

Me quedé sin palabras y, al mismo tiempo, felizmente sorprendida. Tenían que ser grandes ministros de Dios para ser honrados de tal manera. Dios los puso en Jesús, y Jesús estaba sobre ellos. ¡El Señor nunca deja de enseñarme! Me sentí como una hormiga delante de ellos, qué experiencia tan grande que creó gran humildad en mi.

La palabra profética no viene del hombre; viene directamente de Dios. Es transmitir un mensaje desde Su corazón. Es un don de Dios, y es por Gracia para que nadie se gloríe. No esta a la venta. Nadie puede hablar por Dios a menos que sea llamado por Dios para hacerlo. Puedes ser un profeta, o puedes tener el don de profecía. ¿Podemos todos profetizar? Puede que no estés llamado a ser profeta o creas que puedes tener este don, pero la Biblia nos instruye a desear los mejores dones, especialmente el de profetizar.

> *"Procuren, pues, tener amor, y al mismo tiempo aspiren a que Dios les dé dones espirituales, especialmente el de profecía."*
>
> *(1 Corintios 14:1 DHH94PC)*

No sólo es que lo queramos, sino que debemos luchar por el.

> *"Así pues, hermanos míos, aspiren al don de profecía,"*
>
> *(1 Corintios 14:39 DHH94PC)*

¿Por qué? Porque Dios está interesado en que la iglesia reciba Su Palabra en Su amor y sea edificada, consolada, inspirada e instruida. Yo personalmente siempre he querido profetizar porque es el don que, para mí, está más cerca del corazón de Dios. Es como poner mi oído en el pecho de mi papá.

Así que, hermanos, en estos días donde hay gran confusión, división y desunión en la iglesia de Jesucristo, desead los dones de Dios pero especialmente el profetizar. Estén preparados para que el Señor les enseñe humildad. La humildad es imprescindible si quieres ser utilizado de esta manera. Pídele a Dios este don con gran deseo y con gran amor. Este es realmente un ministerio de amor. Sin amor no hay don que se manifieste. Es en Su amor que se manifiestan todos Sus dones. Todo es sobre Su amor por nosotros.

Capítulo 12

Revelación y Profecía

"Les contestó: «A ustedes, Dios les da a conocer el secreto de su reino; pero a los que están afuera se les dice todo por medio de parábolas, para que por más que miren, no vean, y por más que oigan, no entiendan, para que no se vuelvan a Dios, y él no los perdone.»"

(Marcos 4:11-12 DHH94PC)

Cuando Jesús dijo estas palabras, aún no había llegado el tiempo de la dispensación de la Gracia. El perdón no era gratuito; requería sacrificios y expiaciones hechas cada año para limpiar al pueblo de sus pecados (lea Hebreos 10). Vemos que el profeta Isaías citó estas mismas palabras anteriormente sobre un tiempo que se cumple con la llegada de Jesucristo. Jesús las profetizó para que se cumplieran las palabras de Isaías.

"Entorpece la mente de este pueblo; tápales los oídos y cúbreles los ojos para que no puedan ver ni oír, ni puedan entender, para que no se vuelvan a mí y yo no los sane.»"

(Isaías 6:10 DHH94PC)

Este es el cumplimiento de lo que Dios habló por medio de Isaías, pero ¿Por qué oyen y no entienden? ¿Por qué pueden mirar pero no ver? ¿Es esto realmente lo que Dios quiere? Jesús tuvo que explicar las parábolas a sus discípulos porque, de lo contrario, ellos tampoco las habrían entendido. La comprensión de los secretos de Dios y Sus verdades espirituales no llegó a Sus discípulos de inmediato o por revelación. Lo que es espiritual solo puede ser entendido y discernido espiritualmente, como nos lo revela el Espíritu Santo. Esta fue la promesa que se le dio a todos los creyentes después de que Jesús resucitara. Esta es la base del Espíritu de revelación.

Mira las palabras de Jesús, "*para que no se vuelvan a Dios, y él no los perdone.*»" No hubo perdón gratuito (por Gracia) para Su pueblo antes de que Su sangre fuera derramada. Sin Su sangre, no podría haber redención ni un nuevo pacto para Su pueblo. Aunque Jesús tenía la autoridad para perdonar los pecados y, en consecuencia, sanar a los enfermos, el perdón de Dios para nosotros se cumplió mediante el derramamiento de Su sangre en la cruz, no antes.

Entonces nuestros oídos no sólo oyeron sino que entendieron, y nuestros ojos no sólo miraron sino que vieron por el Espíritu de Dios, derramado según la promesa. Él quita las escamas de nuestros ojos quitando el velo que nos separaba del Reino de Dios. Ahora, estando firmes en Cristo y con el poder del Espíritu Santo, los secretos de Dios se nos revelan a medida que buscamos la verdad.

Puede que no todos seamos llamados a ser profetas, pero podemos profetizar a través del Espíritu. No todo se revela como por arte de magia, pero el que busca, encuentra; al que llama, se le abre.

> *"Porque el que pide, recibe; y el que busca, encuentra; y al que llama a la puerta, se le abre."*
>
> *(Mateo 7:8 DHH94PC)*

La verdad es que no tenemos que ser todos profetas para recibir revelación y profetizar. Sólo necesitamos tener hambre de Dios y buscar fervientemente Su verdad y Su vida. Somos muchos los creyentes, pero solo un remanente se embarca en buscar y amar la verdad de Su Palabra. Y pocos de nosotros anhelamos el Espíritu Santo, el Espíritu de profecía. Siempre recuerdo desear este don más que cualquier otro porque pensé que no había mayor don que el estar tan cerca de Su corazón y el poder hablar Sus palabras, estar tan cerca que podría escuchar los latidos de Su corazón, el poder ser llamado un "amigo de Dios" porque podría conocer Sus caminos y cómo Él hace las cosas. ¡Son muchos los llamados, pero pocos son los escogidos!

> *"Así, los primeros serán postreros, y los postreros, primeros; porque muchos son llamados, mas pocos escogidos."*
>
> *(Mateo 20:16 RVR1960)*

La Palabra de Dios nos es dada para que nosotros, como ministros de Dios, la acojamos y, con la misma importancia, la enseñemos a los que han nacido de nuevo del Espíritu de Dios, a los creyentes que pueden entender las cosas espirituales, para que también ellos conozcan a Dios. No así para los no creyentes. Aquellos que oyen pero no entienden es porque sus corazones se han endurecido y sus espíritus han sido apartados de los secretos y cosas de Dios.

Muchos escucharán el mensaje de las buenas nuevas, pero no todos se harán discípulos de Jesús. Volvamos a ver lo que Jesús dijo a sus discípulos después de darles la parábola del sembrador,

> *"¡Oigan! He aquí un sembrador salió a sembrar. Y mientras sembraba, aconteció que parte de la semilla cayó junto al camino; y vinieron las aves y la devoraron. Otra parte cayó en pedregales, donde no había mucha tierra, y en seguida brotó porque la tierra no era profunda. Y cuando salió el sol se quemó y, porque no tenía raíces, se secó. Otra parte cayó entre los espinos. Y los espinos crecieron y la ahogaron, y no dio fruto. Y otras semillas*

cayeron en buena tierra, y creciendo y aumentando dieron fruto. Y llevaban fruto a treinta, sesenta y ciento por uno". Y decía: "El que tiene oído para oír, oiga"."

(*Marcos 4:3-9 RVA2015*)

Jesús tiene que explicarles el significado de la parábola porque el Espíritu Santo aún no había sido derramado sobre ellos. Asimismo, muchos oirán el mensaje de la noticia y de Jesucristo, pero sólo algunos recibirán la Palabra en lo profundo de su corazón y de su espíritu, y estos serán los que darán fruto. Para oír, entender, mirar y ver, tenemos que hacerlo con nuestros ojos y oídos espirituales, por el Espíritu de Dios.

"Porque la Palabra de Dios es viva y eficaz, y más penetrante que toda espada de dos filos. Penetra hasta partir el alma y el espíritu, las coyunturas y los tuétanos, y discierne los pensamientos y las intenciones del corazón."

(*Hebreos 4:12 RVA2015*)

Hay muchos en la iglesia, sí, hay muchos que han escuchado el mensaje de salvación por medio de Jesucristo, pero muy pocos han sido escogidos porque no han recibido el Espíritu de Dios y no han seguido apasionadamente la búsqueda del Reino de Dios y su verdad. Sólo con una visión profética podemos saborear los misterios de Dios. Esto también es un don, una gracia de Dios que se nos da de gratis.

Satanás nos podrá estorbar en nuestro caminar espiritual, pero no te preocupes, ¡Jesús ya venció! No dejemos de orar e interceder por nuestros hijos, padres, hermanos y amigos. Dios, en su gran misericordia, no cesa ni para de obrar en ellos. Desatémoslos para que puedan recibir la verdad del evangelio. Sigamos en esta carrera hasta llegar a nuestra meta en Cristo Jesús. Dios siempre nos escucha, y ya tiene Su plan para nuestras familias, amigos y para nosotros. Dios es fiel y digno de toda alabanza y gloria.

Desead los mejores dones, pero sobre todo, que podáis profetizar. Dios anhela que lo busquemos con pasión y que seamos usados como sus micrófonos. Que podamos hablar Sus palabras, que miremos y veamos lo que Dios está haciendo, y que podamos escuchar y entender lo que Él nos está hablando. Todos esto nace de la amistad e intimidad con Dios a través de su Espíritu. Por un gran amor y pasión por Él. Cuanto más lo amamos, más lo buscamos; este don de profecía nace y se perfecciona. ¡Todos podemos profetizar! Sólo tenemos que desearlo con todo nuestro corazón.

Para poder vivir una vida profética de Gracia, nuestros pecados necesitan ser reconocidos por nosotros mismos en un instante, y mientras confesamos nuestros pecados a Dios, recibiremos continuamente el perdón. No sé ustedes, pero yo quiero profetizar. Anhelo ser contada como Moisés, un amigo de Dios.

> *"Sus caminos dio a conocer a Moisés; y a los hijos de Israel, sus obras."*
>
> *(Salmos 103:7 RVA2015)*

Sí, para conocer Sus caminos, para profetizar en el amor de Dios. Quiero todos los dones, pero sobre todo, el poder de profetizar.

> *"Sigan el amor; y anhelen los dones espirituales, pero sobre todo, profeticen."*
>
> *(1 Corintios 14:1 RVA2015)*

El llevar el testimonio de Jesús, no solo Su Palabra sino llevar la Palabra profética; este es el alimento que la iglesia necesita desesperadamente. Esto es sólo por el Espíritu de Dios. ¡*Bienvenido Espíritu Santo!*

Capítulo 13

Tendrás Pasión

Hay algo acerca de lo profético donde tienes que detenerte por un momento y ponerte los ojos del Padre para tratar de ver como Él ve.

> *"Pero el hombre natural no acepta las cosas que son del Espíritu de Dios, porque le son locura; y no las puede comprender, porque se han de discernir espiritualmente."*
>
> *(1 Corintios 2:14 RVA2015)*

Discernir los tiempos y las estaciones es responsabilidad de nosotros los cristianos, no de los incrédulos. El hombre natural no puede percibir las cosas del Espíritu; es para él como la necedad (es decir, tener o mostrar falta de buen sentido, juicio o discreción). No pueden comprender, captar, llegar a conocer o reconocer porque son no espirituales.

Cuando naciste de nuevo, estabas en el mundo, pero ya no eres del mundo. En Su oración por Sus discípulos, Jesús dijo:

> *"Así como yo no soy del mundo, ellos tampoco son del mundo."*
>
> *(Juan 17:16 DHH94PC)*

Lo que Jesús estaba diciendo acerca de sí mismo era que Él no era del mundo, pero todavía estaba en el mundo. Su Reino no era de este mundo. Entonces, ¿cómo podemos verlo? ¿Cómo podemos distinguir lo espiritual de lo natural? ¡Tienes que tener pasión! Es como desear algo tanto que puedas sentirlo arder en tu corazón. Esta pasión, este deseo ardiente, te mueve hacia eso. Debes sentir esta pasión hacia Dios, hacia Jesús.

> *"Me buscarán y me encontrarán, porque me buscarán de todo corazón."*
>
> *(Jeremías 29:13 DHH94PC)*

Si no sientes pasión por Dios o las cosas de Dios, Su Palabra, Su adoración, si no sientes pasión por caminar y hablar con Él (sí, caminar de la mano con nuestro Dios), ¡debes preguntarle! Dile: "*Señor, quiero más de Ti, quiero desearte, quiero sentir pasión por Ti y por Tu Palabra*". Esta es una oración que Dios siempre responde porque te ama con amor eterno. Dios quiere que lo desees y llegues a conocerlo. Solo pregunta una y otra vez hasta que esa pasión se encienda en tu corazón.

En esta búsqueda, debemos aprender a rendir nuestro orgullo, crucificarlo a toda costa y pagar el precio que sea necesario para obtener el deseo de nuestro corazón. Debemos buscar apasionadamente al Señor sabiendo que Él siempre responderá al grito de la pasión.

> *"no fijando nosotros la vista en las cosas que se ven sino en las que no se ven; porque las que se ven son temporales, mientras que las que no se ven son eternas."*
>
> *(2 Corintios 4:18 RVA2015)*

Se nos dice que dejemos de mirar lo natural, sino que miremos, que fijemos nuestra vista en lo que es espiritual, a eso que es sobre lo natural. Los niños espirituales aún no pueden verlo claramente; por lo tanto, los que somos más maduros tenemos que revelárselo hasta el momento en que puedan verlo por sí mismos. Con amor, les tomamos de la mano y caminamos con ellos hasta que sea el tiempo.

> *"Todavía un poquito y el mundo no me verá más; pero ustedes me verán. Porque yo vivo, también ustedes vivirán."*
>
> *(Juan 14:19 RVA2015)*

¡Lo verás! ¡Verás a Jesús! ¡Verás Su Reino! ¡Lo vas a ver! Fijad vuestros afectos, fijad vuestra vista, fijad vuestro corazón en las cosas de arriba. Enfoca tu pasión en las cosas de arriba ¡Enfoca tu pasión en Jesús, el que ama a nuestras almas!

Capítulo 14

Vas A Estar Enamorado De Mí

"De modo que si alguno está en Cristo, nueva criatura es; las cosas viejas pasaron; he aquí todas son hechas nuevas. Y todo esto proviene de Dios, quien nos reconcilió consigo mismo por medio de Cristo y nos ha dado el ministerio de la reconciliación: que Dios estaba en Cristo reconciliando al mundo consigo mismo, no tomándoles en cuenta sus transgresiones y encomendándonos a nosotros la palabra de la reconciliación. Así que, somos embajadores en nombre de Cristo; y como Dios los exhorta por medio nuestro, les rogamos en nombre de Cristo: ¡Reconcíliense con Dios!"

(2 Corintios 5:17-20 RVA2015)

Cuando hablamos de Jesús, puede parecerle a aquellos que no lo conocen como pura locura. Pero para los que tienen el gozo de conocerlo, no es locura en absoluto.

"Porque para los que se pierden, el mensaje de la cruz es locura; pero para nosotros que somos salvos, es poder de Dios."

(1 Corintios 1:18 RVA2015)

Para aquellos que no entienden el mensaje de la cruz, suena como una locura, pero una vez que lo aceptamos como nuestro Salvador, inmediatamente cambiamos y nuestro entendimiento se ilumina. Nos hemos convertido en embajadores de Cristo. Somos testigos reales de lo que Dios hizo por nosotros. ¡Somos literalmente gente nueva!

Dios nos puso en Cristo, y ahora, con nuestros espíritus renacidos, eso es todo de lo que podemos hablar, pensar; Su amor nos consume. Dios comenzó una obra en nuestros corazones y ahora somos libres y perdonados de todos nuestros pecados. Las cadenas que nos ataban —la religión, el pecado, el dolor, el miedo y la preocupación— cayeron al suelo cuando conocimos a Jesucristo. Es mi trabajo decirles cómo nuestro Padre, a través de Jesucristo, nos reconcilió con Él y quiere reconciliarse con ustedes. Por eso no podemos quedarnos callados; es lo que fluye de nuestros corazones.

> *"El hombre bueno, del buen tesoro de su corazón saca lo bueno; y el hombre malo, del mal tesoro de su corazón saca lo malo; porque de la abundancia del corazón habla la boca."*
>
> *(Lucas 6:45 RVR1960)*

¡Recuerdo cuando conocí a Jesucristo! En el Capítulo 1, les conté todo acerca de mi experiencia personal con Jesús, cómo se me apareció y cómo finalmente fui cambiada. Pero fue más tarde cuando recibí en mi corazón la revelación de quién era realmente Jesús, y me enamoré de Él. Desde entonces, Su nombre siempre ha estado en mi boca. ¡Estaba y estoy enamorada! Cuanto más lo conocía, más lo amaba. Lo que más me impresionó de Jesús fue su amor por mí. Cuanto más lo buscaba, más profundo llegaba Él a mi corazón.

Una vez que fui transformada, eso era y es todo lo que tenía para hablar, ¡de Jesús, de mi Señor! No podía evitarlo. El Señor nos dice en el Libro de Hechos, *"pero recibiréis poder, cuando haya venido sobre vosotros el Espíritu Santo, y me seréis testigos en Jerusalén, en toda Judea, en Samaria, y hasta lo último de la tierra."*

(Hechos 1:8 RVR1960)

Lo que significa para nosotros es que seamos testigos en Jerusalén (en mi casa, en mi área, en mi trabajo), en toda Judea (en mi comunidad) y en Samaria (en otros pueblos y naciones). El poder de Dios me desafía continuamente, y realmente no me importa lo que digan los demás. Hablo de Jesús con gran amor; ¡Jesucristo vive! Él está vivo y nos ama.

Sólo pensaba en Él y en Su Palabra día y noche. Su amor me consumía. En mi trabajo solía decirles a mis colegas, suspirando: "*¿No es hermoso el nombre de Jesús? No hay otro nombre como ese. ¡Jesús! ¡Mi amor!*" Caminaba como si estuviera caminando en el aire. Estaba y estoy enamorada de Él, y todos lo sabían. ¡Ah! ¡Su amor penetra mi corazón y lo envuelve!

Era como si nada importara porque Él estaba conmigo, en mí y a mi lado. Parecía que estaba hablando sola, ¡y tal vez la gente pensaba que estaba loca! ¡Qué hermosa locura! ¡Qué honor estar loca por mi Señor, por Aquel que dio su vida en la cruz para hacerme libre y verdaderamente libre! Quien derramó Su sangre preciosa por mis pecados. ¡Lo amo porque Él me amó primero!

"Nosotros amamos porque él nos amó primero."

(1 Juan 4:19 RVA2015)

No esperes a llegar tarde; ven a Jesús, háblale todo el tiempo. No hay nada que a Dios le guste más que escuchar tu voz. Habla con Él, adóralo e incluso hazle preguntas. Dios te responderá, te hará libre, te bendecirá, te honrará, te librará, estará contigo cuando estés angustiado, y te glorificará porque lo has amado. Haz conocido Su nombre.

"Porque en mí ha puesto su amor, yo lo libraré; lo pondré en alto, por cuanto ha conocido mi nombre. Él me invocará, y yo le responderé; con él estaré en la angustia. Lo libraré y lo glorificaré; lo saciaré de larga vida y le mostraré mi salvación"."

(Salmos 91:14-16 RVA2015)

¡No esperes ni un minuto más! Clama, llama a Jesús para que se haga presente en tu vida. ¡Acepta ser reconciliado con Dios!

Capítulo 15

Serás Transformado

"Por tanto, nosotros todos, mirando a cara descubierta como en un espejo la gloria del Señor, somos transformados de gloria en gloria en la misma imagen, como por el Espíritu del Señor."

(2 Corintios 3:18 RVR1960)

Todos nacimos pecadores. Debido a que nacimos en Adán, nacimos en pecado. No por la voluntad de nuestros padres; es porque el pecado estaba en nuestro ADN espiritual. ¡Lo heredamos de Adán! Ahora, cuando creímos en Jesucristo y fuimos bautizados en Él, nos convertimos en una nueva creación.

"De modo que si alguno está en Cristo, nueva criatura es; las cosas viejas pasaron; he aquí todas son hechas nuevas."

(2 Corintios 5:17 RVR1960)

Como nuevas creaciones, nuestros espíritus fueron recreados. Ahora estamos en Cristo. ¿Significa esto que podemos seguir pecando y todo está bien porque estamos en Cristo? ¡No, todo lo contrario! Porque estamos en Cristo, ahora no podemos pecar. Nuestro espíritu en Cristo nos reprende, le hace saber a nuestra carne que estamos pecando, y rápidamente podemos arrepentirnos. Arrepentirse (Arre-pentirse) significa volver (arre) a nuestro lugar original, al lugar en las alturas (pent, como en penthouse!).

¡Nuestro hombre interior se niega a pecar! Es cierto que a medida que crecemos en el Espíritu, cometemos errores todos los días. Se necesita tiempo para cambiar nuestra forma de ser. Entonces tenemos que perseverar y renovar nuestra mente y nutrir nuestra vida espiritual leyendo la Biblia todos los días, meditando en Su Palabra y manteniendo una relación íntima con Dios a través de Su Espíritu. Nuestra transformación es diaria, y cada día somos más como Jesús. No hay nada que podamos hacer para cambiar ese proceso. Esta transformación la hace Dios.

Recuerdo que una mañana le hice esta misma pregunta al Espíritu Santo. Estaba estudiando en mi habitación y le pregunté: "*Señor, ¿cómo somos transformados?*" Recuerdo entonces que me levanté de mi escritorio y fui a la cocina a preparar el desayuno. Mi suegra estaba visitando mi casa y ya estaba en la cocina. Estela, una de mis niñas, que en ese momento tendría unos dos añitos, se despertó también y venía hacia la cocina. Cuando mi suegra la vio comentó: "*¡Dios mío, esa niña cada día se parece más a ti!*". Y en ese momento me di cuenta que el Espíritu Santo me estaba mostrando que así es como Dios nos va transformando cada vez más a la imagen de Jesucristo.

Yo no hice nada para que mi niña se pareciera a mí. Este es un proceso natural que ocurre debido a nuestro ADN natural y no tiene nada que ver con nuestra voluntad. Lo mismo sucede con nuestro ADN espiritual. Somos transformados por el Espíritu Santo. Somos cambiados de gloria en gloria mientras mantengamos nuestros ojos en nuestro Señor Jesucristo. Es en nuestras almas que estamos siendo transformados hasta parecernos más a Cristo. Jesús es la Palabra. Así que sigamos meditando en Su Palabra, en Él, todos los días. Que la Palabra nunca se aparte de tus ojos.

> *"Hijo mío, está atento a mis palabras; Inclina tu oído a mis razones. No se aparten de tus ojos; Guárdalas en medio de tu corazón; Porque son vida a los que las hallan,*

Y medicina a todo su cuerpo. Sobre toda cosa guardada, guarda tu corazón; Porque de él mana la vida."

(Proverbios 4:20-23 RVR1960)

Sé que no soy la misma de hace treinta años. Estoy cambiada físicamente. Soy mayor, me veo más arrugada, tengo más canas y soy más madura. También he cambiado en mi alma. Estoy bastante segura de que me veo más madura, más como Jesús, más como Dios. Hay una fuerza dentro de mí que siempre me atrae hacia las cosas de Dios. Cuando elijo caminar con Él, Él se asegura de que me transforme a Su imagen. Yo soy Su transformación. Los que tienen una mente carnal no pueden verlo ni sentirlo, y eso se debe principalmente a que nuestra carne es enemiga de Dios. Pero los de mentalidad espiritual te verán transformado atraves de sus ojos espirituales. ¡*La Gloria sea a nuestro Dios!*

Capítulo 16

Sabrás Que Estoy Vivo

> *"No se turbe vuestro corazón; creéis en Dios, creed también en mí. En la casa de mi Padre muchas moradas hay; si así no fuera, yo os lo hubiera dicho; voy, pues, a preparar lugar para vosotros. Y si me fuere y os preparare lugar, vendré otra vez, y os tomaré a mí mismo, para que donde yo estoy, vosotros también estéis. Y sabéis a dónde voy, y sabéis el camino."*
>
> *(Juan 14:1-4 RVR1960)*

¡Cuán maravillosas son las promesas de Dios! Él nos ama tanto que tiene un lugar para ti y para mí. Esta vida pasará, pero para los que creemos, nuestra vida es eterna. Recuerda que Jesús es el camino, la verdad y la vida; nadie puede venir al Padre sino es por Él.

> *"Jesús le dijo: Yo soy el camino, y la verdad, y la vida; nadie viene al Padre, sino por mí."*
>
> *(Juan 14:6 RVR1960)*

No habían pasado muchos días después de recibir a Jesús en mi corazón, pero aún tenía la duda de si había que adorar a Jesús aparte del Padre. Pensé: *¿No sería esto idolatría?* Y pensé en preguntarle a Dios directamente. Siempre le pido cualquier cosa a Dios antes que a cualquier hombre.

Era domingo después de ir a la iglesia y, como siempre, tenía preguntas en mi corazón. Era la tarde, y yo estaba en mi cuarto, sentada en mi cama y mirando a través de una ventana muy grande hacia el cielo. No sé por qué, pero puse una almohada sobre mi cabeza en caso de que Dios se enojara con mi pregunta. Todavía tenía en mi mente la imagen de un Dios sentado a lo lejos que nos castigaba por nuestras ofensas. ¡Que equivocada estaba! ¡Dios nos ama tanto! Y Él quiere que acudamos a Él con cada pregunta que tengamos, pensamiento o incluso cualquier queja. Él quiere comunicarse con nosotros y tener intimidad con Sus hijos.

Entonces, por si acaso, me tapé y, mirando a través de mi ventana hacia el cielo, le pregunté a Dios en voz alta: "*Señor, ¿Jesús es realmente tu Hijo? Veo personas en la iglesia con las manos levantadas y adorándolo como si lo conocieran personalmente. Señor, por favor, no me tires con un rayo ni te enojes, pero si Jesús está vivo, quiero saberlo, quiero conocerlo para poder adorarlo también*".

Como ven, todavía yo era un bebé en el Señor. Siempre tenía miedo de hacer algo que no le agradara a Él, y cargaba de mi pasado pensamientos religiosos de tenerle un poco de miedo a Dios. Estaba confundida y no quería cometer el pecado de la idolatría. Sabía que Jesús estaba vivo y que era el Hijo de Dios porque la Biblia lo dice, pero lo que me faltaba era la revelación de Jesús "vivo" en mi corazón. Me parecía que las personas, cuando lo adoraban, sabían más de Él que yo.

Era lunes por la tarde y dejaba mi trabajo para recoger a mis gemelas de la niñera. Recuerdo que tenía una emisora cristiana en la radio. No estaba pensando en nada en particular ni en mi pregunta anterior a mi Papa Dios. Cuando conducía de camino a casa, me detuve en un semáforo en rojo y, de repente, sentí como si un rayo me hubiera golpeado en el pecho. De alguna manera fue sobrenatural porque no estaba lloviendo en absoluto;

era un día soleado. Supe en ese mismo momento que Jesús estaba vivo. Yo estaba en estado de shock, y no lo podía creer. ¡Jesús está vivo!

¡Fue una revelación tan grande que todo lo que podía decir es que simplemente "sabía" que mi Señor vive! Desde un momento de "*creer*", llegué a "*saber*". ¡Qué alegría tan grande sentí! ¡Mi pecho iba a estallar de tanta alegría! Estaba lleno de Su luz y de un gran amor por Jesús que nunca imaginé posible. Era una manifestación evidente de que Jesucristo estaba vivo, y se reveló a mi corazón. Soy testigo de que Él vive, no porque me lo hayan dicho o leído. Fue por el magnífico poder de Dios mismo. Y pensar que le había dicho a Dios que no me fulminara con un rayo por preguntárselo, y Él me fulminó con un maravilloso rayo de luz con la verdad. ¡No podía esperar para llegar a casa y decirle a mi esposo o a cualquier persona que quisiera escuchar que Jesús vive!

Me crié la mayor parte de mi adolescencia en un pueblo llamado Caguas, cerca de la capital, San Juan, en Puerto Rico. Recuerdo que cada vez que pasaba por el expreso de San Juan a Caguas, veía un cartel que decía: "¡Jesús vive!". Y yo siempre lo miraba y me preguntaba, *¿Cómo lo saben*? Ahora sé y puedo decir con confianza: "*Sé a quién he creído"*.

> *"Por lo cual asimismo padezco esto; pero no me avergüenzo, porque yo sé a quién he creído, y estoy seguro que es poderoso para guardar mi depósito para aquel día."*
>
> *(2 Timoteo 1:12 RVR1960)*

Por eso te digo hoy: "*¿Qué estás esperando*?" Solo pregúntale al Padre si Jesús es Su Hijo y si todavía está vivo. Si has recibido a Jesús como tu Salvador y has sido bautizado con el Espíritu Santo, pídele a Dios que te revele a Su Hijo. Entonces podrás confesarlo porque lo conoces. Te convertirás en Su verdadero testigo.

Capítulo 17

Estad Quieto

"Porque el ocuparse de la carne es muerte, pero el ocuparse del Espíritu es vida y paz. Por cuanto los designios de la carne son enemistad contra Dios; porque no se sujetan a la ley de Dios, ni tampoco pueden; y los que viven según la carne no pueden agradar a Dios. Mas vosotros no vivís según la carne, sino según el Espíritu, si es que el Espíritu de Dios mora en vosotros. Y si alguno no tiene el Espíritu de Cristo, no es de él. Pero si Cristo está en vosotros, el cuerpo en verdad está muerto a causa del pecado, mas el espíritu vive a causa de la justicia. Y si el Espíritu de aquel que levantó de los muertos a Jesús mora en vosotros, el que levantó de los muertos a Cristo Jesús vivificará también vuestros cuerpos mortales por su Espíritu que mora en vosotros. Así que, hermanos, deudores somos, no a la carne, para que vivamos conforme a la carne; porque si vivís conforme a la carne, moriréis; mas si por el Espíritu hacéis morir las obras de la carne, viviréis. Porque todos los que son guiados por el Espíritu de Dios, estos son hijos de Dios."

(Romanos 8:6-14 RVR1960)

¿Cómo podemos vivir en santidad cuando nuestra carne todavía está viva? ¿Cómo puedo controlar mi temperamento? ¿Cómo puedo controlar mi boca? ¿Cómo puedo controlar mi mente? ¡Cuánto estrés y ansiedad! Esto es algo muy difícil de hacer. La realidad es que es algo imposible de hacer. Dios espera perfección, pero nosotros simplemente no podemos ser perfectos. Al menos no de la forma en que pensamos. Nadie es perfecto, ¿verdad? Nos esforzamos tanto y pensamos que hemos logrado mucho, luego perdemos los estribos y fallamos nuevamente. Terminamos tirando la toalla y clamando a Dios porque no podemos hacerlo.

Estos son los dolores de crecimiento por los que todos los cristianos tienen que pasar. Tienes que llegar al final de ti mismo para llegar a la conclusión de que no puedes controlar la carne. ¿Por qué intentarlo? La perfección que agrada a Dios no es la perfección de nuestra carne; es la perfección de nuestro corazón. El corazón que sabe que necesita de Dios.

No puedes controlar tu carne prestándole atención a ella. Sólo la puedes controlar dándole vida a tu espíritu. Esto lo haces comunicándote con el Señor y Su Palabra. Recibiendo de Él la verdad y la vida. Dandole las cosas que no puedes cambiar tú mismo: tu lengua, tu temperamento y tu mente. Entrega esas áreas al señorío de Aquel que te ama y vive en ti. Hazlo racionalmente y hazlo con tu corazón. ¡Dile lo que ya sabe, que Él es el único que puede hacerlo!

> *"Yo soy la vid, ustedes las ramas. El que permanece en mí y yo en él, este lleva mucho fruto. Pero separados de mí nada pueden hacer."*
>
> *(Juan 15:5 RVA2015)*

Me encanta cómo lo dice la traducción de TPT, (Aquí esta mi traducción en español)

> *"Así que debes permanecer la vida en unión conmigo, porque yo permanezco la vida en unión contigo. Porque como una rama cortada de la vid no dará fruto, así vuestra vida será estéril a menos que viváis vuestra vida*

íntimamente unida a la mía. "Yo soy la vid que brota y ustedes son mis sarmientos. A medida que vivas en unión conmigo como tu fuente, la fecundidad fluirá dentro de ti, pero cuando vives separado de mí, eres impotente".

(Juan 15:4–5 TPT traducción mía)

¿Vez? Eres impotente. No puedes hacer nada por tu cuenta. ¡Cuántas veces he dicho: "*Señor, no puedo hacerlo sola!*" Y el Señor siempre responde. La única forma de controlar tu carne es permanecer conectado a Dios, tal como la rama está conectada a la vid.

Conéctate con Dios y mantente conectado con Él todo el tiempo. ¿Cómo? Hablando con Él en voz alta, en un susurro o en tu mente. Antes de hacer nada, asegúrate de estar conectado a la vid. Estando en la misma frecuencia con Su Espíritu. ¿Sabes que Él es Dios?

Simplemente "enciende" a Dios en ti y atraves de ti. Su vida comenzará a fluir desde adentro. La carne muere inmediatamente. ¡No puedes estar caminando con Dios, hablando, cantándole y haciendo lo impensable! Dale a Él tu atención. Sí, todo el tiempo. Cuéntale sobre esa parte de ti que te está dando más problemas. El Señor lo hará. Al final, te encontrarás mirando hacia atrás en tu vida y viendo que Él lo hizo todo por ti. Por tu cuenta, no puedes hacer nada. Dile: "*¡Señor, yo no puedo, pero Tú sí!*". Estas son las palabras que le dan permiso para hacerlo.

"Estad quietos y reconozcan que yo soy Dios" (Salmo 46:10) es en uno de mis salmos favoritos. ¡Me viene a la mente casi todos los días! Léelo en esta traducción de nuevo,

"¡Entrega tu ansiedad! Guarda silencio y deja de esforzarte y verás que yo soy Dios. Yo soy el Dios sobre todas las naciones, y seré exaltado en toda la tierra. ¡Aquí está!

(Salmo 46:10 TPT traducción mía)

¡Sí! ¡Él está aquí! Conéctate con Dios a través de Su Espíritu y entrégaselo todo. No necesitas nada más; solo lo necesitamos a Él. Dios es todo lo que tenemos.

Capítulo 18

Permanece En Mi

"Yo soy la vid verdadera, y mi Padre es el labrador. Toda rama que en mí no está llevando fruto, la quita; y toda rama que está llevando fruto, la limpia para que lleve más fruto. Ya ustedes están limpios por la palabra que les he hablado. "Permanezcan en mí, y yo en ustedes. Como la rama no puede llevar fruto por sí sola si no permanece en la vid, así tampoco ustedes si no permanecen en mí. Yo soy la vid, ustedes las ramas. El que permanece en mí y yo en él, este lleva mucho fruto. Pero separados de mí nada pueden hacer. Si alguien no permanece en mí, es echado fuera como rama y se seca. Y las recogen y las echan en el fuego, y son quemadas. "Si permanecen en mí y mis palabras permanecen en ustedes, pidan lo que quieran y les será hecho. En esto es glorificado mi Padre: en que lleven mucho fruto y sean mis discípulos."

(Juan 15:1-8 RVA2015)

Fíjense cómo Jesús usa esta alegoría para describir nuestra relación con Él y Su Reino. "*Yo soy la vid y vosotros las ramas*", esto habla de lo que debe ser nuestra relación con Dios. Sabemos que Jesús es el único camino al Padre. Gracias a lo que Él hizo en la cruz, podemos disfrutar de una relación real con nuestro Papa Dios todo el tiempo. Jesús quitó el velo que nos separaba de Él. Ahora podemos entrar a Su trono, a Su lugar en las alturas, a Su lugar santo a toda hora y en todo momento.

Todo se debe al lugar donde Dios nos ha colocado: en Cristo. El lugar donde no puede haber ninguna separación de Dios. Somos uno con Cristo; por lo tanto, somos uno con el Padre. Esta unidad no se puede romper. No puede dejar de existir. Nada, ni nadie, puede impedirnos acercarnos a Dios. Nada puede separarnos de Su amor. El camino siempre está abierto y permanece abierto. Incluso el pecado que nos agobia no nos puede separar de Dios.

> *"Por lo cual estoy convencido de que ni la muerte ni la vida ni ángeles ni principados ni lo presente ni lo porvenir ni poderes ni lo alto ni lo profundo ni ninguna otra cosa creada nos podrá separar del amor de Dios, que es en Cristo Jesús, Señor nuestro."*
>
> *(Romanos 8:38-39 RVA2015)*

Es entonces en Cristo que esta relación existe, y no se puede romper. Entonces, ¿qué sucede si nuestra relación con Dios se enfría, ya no hablamos con Su Espíritu como antes, las experiencias disminuyen y perdemos el contacto con Dios? La relación ya no es una experiencia continua, entonces, ¿cómo vamos a dar frutos? ¿Cómo podemos conectarnos con Dios de nuevo?

Tenemos que volver a Él. Tenemos una unión que ni el mismo satanás ni ningún pecado, por grande que sea, nos puede separar del amor de Dios. Tenemos que volver a Él de nuevo; tenemos que arrepentirnos, es decir, volver a Su lugar en lo alto, a Su trono, a Su presencia. Busca audiencia con Dios y quédate en esa audiencia. Si pecaste, pide perdón y serás perdonado. Si estás confundido, habla con Dios y obtén su consejo.

¿Qué ramas nos dice Jesús que se marchitarán y morirán? Las que en Cristo no dan fruto. Para que digamos con toda la veracidad que somos cristianos, que estamos en Cristo, tenemos que dar fruto. Si no hay fruto en nuestras vidas y no hay vida fluyendo a través de las ramas, entonces las ramas se secarán y morirán. ¿Cómo se vivifican las ramas sino con la Palabra hablada?

> *"Toda rama que en mí no está llevando fruto, la quita; y toda rama que está llevando fruto, la limpia para que lleve más fruto. Ya ustedes están limpios por la palabra que les he hablado."*
>
> *(Juan 15:2-3 RVA2015)*

Es a través de la Palabra hablada que nos aseguramos de que las ramas estén limpias y puedan dar fruto. Bien se dice que el cristianismo es una religión de confesión. Lo que confiesas en tu corazón con tu boca se hace realidad. Confiesas que Cristo murió por tus pecados y que Él es tu Salvador, y ya eres salvo. Confiesas la Palabra, y el Espíritu comienza a dar fruto. Así que tenemos que permanecer en Él, en Cristo, no solo conociendo nuestra relación con Cristo, sino permaneciendo en la experiencia. Entonces nuestras palabras se harán realidad y los frutos fluirán de nosotros. No es necesario trabajar hasta el agotamiento o esforzarse para producir fruto. Es la vida en la vid que lo produce. No por la voluntad de la rama, no por sí misma, sino por la vida eterna que fluye a través de las ramas. Por mí mismo, no puedo hacer nada.

Mientras medito en este versículo y escucho lo que Jesús me dice, estoy siendo limpiado. Dios me prepara para que pueda dar fruto. Puede suceder que des fruto, y alguien se acerque a tu rama y coma de tu fruto. Por ejemplo, un día estaba tomando un refrigerio con dos o tres amigas en mi trabajo. La amiga que estaba sentada a mi derecha no se sentía bien y en ese momento apoyó la cabeza sobre la mesa. Empezó a quejarse de que le dolía mucho la barriga. Sentí su pena y extendí mi brazo sobre ella para consolarla. De repente, levantó la cabeza y dijo: "*¿Qué me hiciste? ¡Tan pronto como pusiste tu brazo sobre mí, sentí que el dolor desapareció! ¡Ya me siento bien! ¡Gracias!*" Aunque estaba sorprendida, sabía que fue Dios y le agradecí.

El fruto de la vida de Cristo en mí sanó a mi amiga. No fui yo sino la vida de Dios dentro de mí. Tal vez ella no lo entendería, pero notó cómo el poder había salido de mi brazo. En ese momento yo no había orado por ella, no le pedí a Dios que la sanara, sino que fue porque Dios la quería sanar. ¡Gloria a Dios! Y así fue muchas veces cuando prediqué en las iglesias; no es que quisiera que se curaran; Dios mismo quiso sanarlos porque los ama.

Lo mismo es cierto cuando estás ministrando a los enfermos o al público en general. Tal vez no ores por los enfermos, y la sanidad todavía sucede. Tal vez necesitan una palabra de Dios, y la profecía simplemente sucede. Y así es con todos sus dones. Dios se mueve porque nos ama. Es necesario que permanezcamos en nuestra relación con el Espíritu de Dios.

Aunque hayas meditado (por dentro o en voz alta) o haya predicado, la Palabra tiene que ser hablada. Esto es porque Jesús es la Palabra, ¡Él necesita ser predicado! Y es por Su fruto en nuestras vidas que podemos llamarnos Sus discípulos. Así es como establecemos el cielo aquí en la tierra. Esta es la forma en que establecemos la vida del Reino en nuestra vida diaria. ¡*Gracias, Espíritu Santo, por tantas experiencias y por tus frutos que siempre dan gloria a nuestro Dios!*

Capítulo 19

Tu Podrás Elegir

Cada paso que das, estás eligiendo. Si vas a la derecha, estás eligiendo no ir a la izquierda. Si decides llevar tu automóvil, es porque está eligiendo no caminar. Cada paso que das es una elección. De una forma u otra, siempre estás haciendo una elección. Dios le dio al hombre libre albedrío para que siempre pueda elegir.

> *"Hoy llamo a los cielos y a la tierra por testigos contra vosotros de que os he puesto delante la vida y la muerte, las bendiciones y las maldiciones. Elige ahora la vida, para que vivas tú y tus hijos."*
>
> *(Deuteronomio 30:19 NVI)*

¡Elige la vida! Aun cuando Dios le dio al hombre el derecho de elegir, Su deseo es que elija la vida para que él y sus hijos puedan vivir. ¡Oh, qué maravilloso es nuestro Dios! Él quiere compartir su vida con nosotros. Él quiere que vivamos. No sé ustedes, pero cuando me despierto todas las mañanas, ya he tomado la decisión de amar y agradar a Dios ese día. No está en mi naturaleza desagradarle o pecar contra Él. Elijo darle mi vida y mi día.

Dios ha enviado Su Espíritu Santo para permitirnos el elegirlo. Dios ha puesto Sus leyes en nuestros corazones y mentes para que lo sigamos.

"Este es el pacto que haré con ellos Después de aquellos días, dice el Señor: Pondré mis leyes en sus corazones, Y en sus mentes las escribiré,"

(Hebreos 10:16 RVR1960)

Nosotros podemos elegir seguirlo. Siempre tenemos esa opción. Todo lo que el diablo puede hacer es cambiar un poco la verdad para que confundirnos y así nosotros elegir el camino equivocado. Pero Dios, en Su infinita misericordia y amor, siempre nos rescata del hollo. Necesitamos buscar la verdad; necesitamos buscarlo a Él siempre. ¿Cómo saber la verdad? Bueno, Su Palabra es verdad.

"Santifícalos en tu verdad; tu Palabra es verdad."

(Juan 17:17 RVR 1960)

Necesitamos fortalecer nuestro espíritu meditando en Su Palabra.

"Escogí el camino de la fidelidad, he tenido presentes tus decisiones;"

(Salmos119:30 BLPH)

Si sabemos la verdad, siempre tenemos la opción de hacer las cosas bien, de tomar las decisiones correctas. Dios nos dio Su Espíritu para que podamos elegir una vida de justicia. No podemos culpar a la carne o a la naturaleza pecaminosa, ni siquiera al diablo, por las decisiones que tomamos. Podemos ser tentados por nuestra propia carne o por el diablo, pero somos nosotros quienes tomamos las decisiones. ¡Elige la vida para que puedas vivir!

"De igual manera, el Espíritu nos ayuda en nuestra debilidad. Porque no sabemos orar como es debido, pero

el Espíritu mismo ruega a Dios por nosotros, con gemidos que no pueden expresarse con palabras."

(Romanos 8:26 DHHDK)

Nosotros no estamos solos en este mundo. El Espíritu Santo nos ha sido dado para ayudarnos en nuestras debilidades. Dios mismo nos pone en Cristo la primera vez que creemos. Ya que nuestras vidas están unidas con Cristo, ¡podemos considerarnos muertos al pecado! Hoy precisamente escuché esta analogía "¿Tratarás de tentar u ofrecer algo a alguien que está muerto? ¡Por supuesto que no! ¡Está muerto!" Asimismo, el pecado no puede tener éxito en tentarte si estás muerto al pecado. Por tanto, considérate muerto al pecado.

"Así también vosotros consideraos muertos al pecado, pero vivos para Dios en Cristo Jesús, Señor nuestro."

(Romanos 6:11 RVR1960)

El pecado no tiene dominio sobre ti a menos que decidas o elijas pecar. Tienes que tomar la decisión de seguir a Cristo, de seguir Su Palabra, de seguir Su Espíritu. Tienes la opción. Nadie más la tiene, solo tú.

¿Sabías que Jesús también tenía la opción de seguir o no seguir el plan de Dios para Su vida? ¿Morir la muerte en la cruz o no? Lee los capítulos 17 y 18 de Juan. Jesús sigue el plan de Dios al pie de la letra. Él eligió ser obediente al Padre hasta la muerte, la muerte de cruz.

"Y hallándose en forma de hombre, se humilló a sí mismo, haciéndose obediente hasta la muerte, y muerte de cruz."

(Filipenses 2:8 LBLA)

Necesitamos elegir vivir como vivió Jesús. Necesitamos llegar a conocer y seguir al Espíritu Santo y Su Palabra.

Necesitamos volvernos obedientes a Su voz. C.S. Lewis dijo: "*Para mí, escuchar es obedecer*".

Es tu elección: conocerlo y dejar que Cristo se manifieste en y a través de ti o continuar el camino que has estado viviendo hasta ahora. No puedes ir a la playa y solo mojarte los pies. Debes decidir entrar hasta el final. Este es el plan y el deseo de Dios para tu vida, para tener todo de ti, para que puedas vivir. Eres el deseo de Dios. ¡Todo lo que Jesús quiere es que lo elijas a Él!

Capítulo 20

Mira La Cosecha

"Les dijo: «Ciertamente la cosecha es mucha, pero los trabajadores son pocos. Por eso, pidan ustedes al Dueño de la cosecha que mande trabajadores a recogerla. Vayan ustedes; miren que los envío como corderos en medio de lobos."

(Lucas 10:2-3 DHH94I)

¿Leíste lo que el Señor nos dice que hagamos? No necesitamos permiso de nadie, ni de nuestro pastor o sacerdote. Nadie tiene que darte permiso u ordenarte que hagas algo porque nuestro Señor ya nos ha aprobado y nos ordena "*¡Ve, yo (nuestro Jesús) te envío!*"

Nuestros líderes no pueden hacer el trabajo solos. No pueden asumir la responsabilidad de ir a donde hay necesidad en el nombre de Jesús. ¡No esperes permiso del cielo ni de ningún hombre! Ve y llena ese vacío que solo tú puedes llenar. Vayan y háblenles de Jesucristo, díganles que Él les envía su ayuda. Ve y evangeliza. Id a ayudar a los necesitados, a los pobres, a los ancianos, a los niños y a las viudas que piden y suplican a Dios por Su ayuda. Oren por los enfermos.

Ya sea llevando una Palabra o ayudando, ya sea en finanzas u oración, ya sea visitando a los enfermos y orando por ellos, ya sea en su iglesia o fuera de ella, ya sea en tu trabajo o dándole de comer al hambriento, o sea escuchando a un corazón triste, si está en ti, busca los recursos, ve y hazlo. Saca de tu propio tiempo.

No esperéis recompensa del hombre porque tú le sirves al Señor. Él es quien te recompensará. Tampoco quiero que te vuelvas loco y vayas a crear problemas. Todo debe hacerse con orden y en el conocimiento de Dios. ¡Hay tantos cultivos, pero pocos son los trabajadores! Hay tanta necesidad en todos los aspectos de esta vida, pero no estamos listos ni dispuestos a ser de ayuda en el nombre del Señor.

Tu podrás decirme, "¡*Jesús se lo dijo a Sus discípulos, no a nosotros*!" Echa fuera tu miedo. Los discípulos de Cristo somos todos los que, independientemente de nuestra religión, católica o protestante, estamos todos unidos; somos el cuerpo de Cristo. Dios es tan bueno y misericordioso que nos dio dones entre todos sus hijos para que tengamos herramientas de trabajo. ¡El Señor no nos deja solos! Él va con nosotros dondequiera que su Espíritu nos guíe. Él iluminará el camino a seguir. Él nos ayudará y nunca nos dejará solos; solo aprende a escuchar a Dios a través de su Espíritu.

No hay nada más hermoso, pleno y satisfactorio que servir a nuestros hermanos necesitados en el nombre del Señor. Que Dios sea agradecido por tus obras. Atrévete a ir, y si no quieres ir solo, no tienes porque hacerlo porque Jesús sabe que hay lobos y Él envió a sus discípulos de dos en dos (ver Marcos 6:7). Hay lugares a los que no puedes ir solo. Pídele al Señor que te envíe un compañero en Cristo con la misma visión que tú tienes.

Él nos dio autoridad en Su nombre. Dios conoce tu corazón; pide discernimiento y la ayuda de su Espíritu. ¿No te sientes listo? Pues empieza por prepararte estudiando Su Palabra para que sepas dar razón a todo el que te pregunte quién te envió y por qué. Para que crezca vuestra fe y vuestro amor por el Señor, y puedas hacer proezas en Su nombre.

¿No sientes el llanto de los necesitados? Pídele a Dios sabiduría para que actúes de acuerdo a tus dones o talentos donde Dios te dirija. Dios está en la puerta o portal. Veamos lo que nos dice en el Libro de Mateo:

> *"Jesús recorría todos los pueblos y aldeas, enseñando en las sinagogas de cada lugar. Anunciaba la buena noticia del reino, y curaba toda clase de enfermedades y dolencias. Al ver a la gente, sintió compasión de ellos, porque estaban cansados y abatidos, como ovejas que no tienen pastor. Dijo entonces a sus discípulos: — Ciertamente la cosecha es mucha, pero los trabajadores son pocos. Por eso, pidan ustedes al Dueño de la cosecha que mande trabajadores a recogerla."*
>
> *(Mateo 9:35-38 DHH94I)*

Nota cómo Jesús estaba anunciando las buenas nuevas y sanando todo tipo de dolencias. Lo movía el amor a las personas, la compasión que sentía por ellas. Por eso hoy, Él te envía. Solo tienes que creer en Aquel que te envió. Cree en Jesucristo. Él nos dijo,

> *"Les aseguro que el que cree en mí hará también las obras que yo hago; y hará otras todavía más grandes, porque yo voy a donde está el Padre.*
>
> *(Juan 14:12 DHH94I)*

Somos como Jesús era en la tierra, y cosas mayores que las que Él hizo las haremos en Su nombre porque Él vive a la diestra de nuestro Padre para que en Su nombre se hagan Sus obras. Hay muchos cultivos... pero pocos trabajadores. Digámosle hoy: "*¡Envíame a mi, Señor!*"

Capítulo 21

Tendrás Fé

"Pues el evangelio nos muestra de qué manera Dios nos hace justos: es por fe, de principio a fin. Así lo dicen las Escrituras: «El justo por la fe vivirá.»"

(Romanos 1:17 DHH94I)

¿Qué es la fe? ¿La fe que nos hace justos? El Libro de Hebreos nos dice,

"Es, pues, la fe la certeza de lo que se espera, la convicción de lo que no se ve. Porque por ella alcanzaron buen testimonio los antiguos. Por la fe entendemos haber sido constituido el universo por la palabra de Dios, de modo que lo que se ve fue hecho de lo que no se veía."

(Hebreos 11:1-3 RVR1960)

Con un solo mandato, Dios creó el mundo. Lo que no sabemos es cuánto tiempo le tomó a Dios imaginar el mundo. Después de imaginarlo, lo habló, lo mandó a existir y existió. Surgió de Dios el creer e imaginar en Su corazón. Dios lo imaginó en la mente de Su corazón, lo creyó y habló para que existiera.

Entonces Dios quiere que transformemos este mundo con el uso de nuestra imaginación, creyendo en el corazón y hablando lo que sea por fe. Por eso se dice que la imaginación es el lenguaje del Espíritu Santo. Lo que imaginamos tarda en entrar en nuestro corazón. Tiene que lidiar con nuestra carne y su incertidumbre. Después de que entra en el corazón o el espíritu, se hace realidad al hablarlo.

La Palabra de Dios es como una semilla que, cuando se siembra en la tierra, germina. La Palabra de Dios es poder, es vida en sí misma, y es espíritu; por eso entra en nuestro espíritu. Al entrar en nuestro espíritu, germina. ¿Parece difícil? Parecerá difícil, pero así creó Dios lo que se ve de lo que no se ve. Y eso se llama fe. No es solo creer.

Por eso hay tantos corazones insatisfechos con el cristianismo. Piensan que con sólo creer pueden conseguir cualquier cosa, y no es así. Debe haber fe. Tiene que pasar de ser sólo una creencia a ser un conocimiento. Tiene que haber una palabra, una semilla que entre en nuestro espíritu y germine. Y debe haber labios dispuestos a decir lo que se conoce con certeza.

Yo recuerdo hace años que había estado orando durante muchos meses por el hijo de un buen amigo mío, a quien llamaré Pedro. Era adicto a la cocaína y la marihuana. Había estado en hospitales y rehabilitación más veces de las que podía contar sin éxito. Su madre estaba emocionalmente destruida porque temía que no hubiera esperanza para él.

Una mañana estaba conduciendo al trabajo, escuchando música cristiana y adorando al Señor. Después de salir de mi auto, mientras caminaba, le pregunté al Espíritu Santo acerca de Pedro: *"Señor, he estado orando por Pedro durante mucho tiempo. ¿Cuándo me vas a responder?"*

Seguí caminando hacia las escaleras del hospital cuando, en un momento, me vino esta visión clara donde vi el rostro de Pedro, luego cambió al rostro de Jesús en la cruz, luego volvió a cambiar al rostro de Pedro, luego de vuelta al rostro de Jesús. Sus rostros siguieron intercambiándose rápidamente por un corto tiempo como si los estuviera viendo en una máquina tragamonedas. Entonces la visión se detuvo; y supe en mi corazón que Pedro había sido sanado. "*¡Pedro está curado!*", me dije a mi misma. *¡No podía creerlo!*

Entonces recordé lo que mi pastor nos estaba enseñando el domingo anterior. Hablaba de la fe, y nos había dicho que cuando la respuesta llegara a nuestro corazón, tenemos que hablarla para ver su cumplimiento. Así que ya sabía qué hacer. Encontré a otro farmacéutico amigo mío para orar la oración de fe por Pedro. Le conté lo que acababa de pasar y estuvo de acuerdo conmigo mientras orábamos en voz alta.

Esa noche en casa, ya no podía esperar más para saber, y llamé a Pedro por teléfono: *"Pedro, ¿sentiste que te pasó algo extraño esta mañana?"* Y me dijo que algo raro le había pasado en el carro. Sintió que algo le tocaba la cabeza, pero no sabía qué era. Entonces le dije a Pedro: "*¡Ese era Jesús tocándote esta mañana! ¡Estás curado!"*

Hoy han pasado treinta y tres años desde que Pedro fue sanado. Desde ese día, nunca más tuvo ningún deseo por las drogas. ¡Ni siquiera pasó por síntomas de abstinencia! Ahora Pedro es un hombre casado con hijos y nietos. ¡Él tiene su propio negocio donde Dios lo ha prosperado más allá de su imaginación! ¡Gloria a nuestro Dios!

Déjame contarte otra historia. Por fe, tuve a mis gemelas por "*fertilización in vitro"*. Varias veces durante mi primer año de matrimonio, iba a ver a mi médico para verificar la razón por la que aún no estaba embarazada. Cada prueba, cada sonografía, decía que todo estaba bien. Sufría de horribles dolores menstruales hasta el punto de desmayarme desde que tenía trece años. El ginecólogo siempre me decía que todo estaba bien, que tuviera paciencia y me lo tomara con calma. ¡Se notaba que realmente quería estar embarazada! Mi corazón se sentía tan triste; se sentía tan pesado.

Cuando íbamos a celebrar nuestro primer aniversario, a medianoche me comenzó un dolor tan grande en la pelvis que mi esposo tuvo que llevarme a la sala de emergencias. Me hicieron un sonograma y esta vez me encontraron que mis ovarios estaban del tamaño de dos toronjas y tuvieron que realizar una cirugía de emergencia. Para resumir, me dejaron solo un pequeño pedazo de ovario para que me suministrara las hormonas que necesitaba sin tener que tomar pastillas.

Cuando me desperté de la anestesia, mi mamá estaba conmigo y estaba muy triste. Lentamente me dio la mala noticia: nunca podría concebir porque me habían sacado los ovarios. Tuve un caso complicado de endometriosis que había dañado mi sistema reproductivo. Literalmente me volví como loca con un dolor terrible en el corazón, y eso me llevó a una depresión horrible que duró años.

Mi sueño de ser madre había terminado. Gracias a Dios, finalmente conseguimos un ginecólogo que se especializaba en hacer "fertilizaciones in vitro", y así lo hicimos. Este proceso me llevó unos tres años. Tenía fe en que iba a ser madre sin importar nada. ¡Lo sabía! Fue un proceso muy largo y triste. Recuerdo llorar casi todos los días. El médico me dio la oportunidad de tratar solo con ese trozo de mi ovario. Pensó que podría crear suficientes óvulos para fertilizarlos.

Bueno, ¡lo hicimos! Los óvulos se fertilizaron y el médico puso cuatro embriones en mi útero como mi única posibilidad de quedar embarazada. Me dijo: "*Te puse cuatro embriones, pero estoy seguro de que dos de esos sobrevivirán*". Y yo le creí. Me dijeron que tenía que acostarme durante dos semanas sin moverme hasta mi próxima cita. Mis padres estuvieron con nosotros durante el proceso.

Entonces no sé como se me ocurrió que debíamos ir a pasar unos días a un resort en la playa. Pensé que era mejor que esperar en casa durante dos semanas. Fuimos al hotel, y recuerdo como si fuera ayer, cuando me paré frente al espejo de la habitación del hotel con mi mamá y le dije: "*Mami, no sé después, pero solo sé que ahora mismo estoy embarazada y nadie me puede quitar esa alegría. ¡Hoy estoy embarazada*!". Dios había susurrado en mi corazón: "*Estás embarazada*", y yo lo creí. Dios conocía mi deseo; recordó mi dolor y todas mis lágrimas a través de los años.

¿Pueden creer que no me fui a la cama? Fui a la playa, me metí al agua y me metí a la piscina como si ya estuviera embarazada. Lo sabía en mi corazón. Creí que Dios habló a través del médico, y Sus palabras entraron en mi corazón, y le creí, y lo sabía.

Cuando llegó el día de la cita, ¡me desperté tan feliz! Fui al baño, y ¿se imaginan el horror de verme sangrando? ¿Qué? Me volví como loca y comencé a llorar y sollozar al pensar que había perdido mi embarazo y no había vuelta atrás. No podía volver a intentarlo. Lloré desesperadamente, sin ninguna esperanza. Mi esposo estaba muy triste y se esforzaba por consolarme. No sabía qué hacer.

Mis padres acababan de irse un día antes y nos encontramos solos y devastados. Entonces Frankie decidió llamar a mi mamá porque yo estaba llorando mucho. Mis pensamientos eran: "¡*Si tan solo hubiera hecho lo que me dijo el médico y hubiese descansado en lugar de ir a la playa! Fui tan tonta, y ahora no tenía bebé, ¡nada!*".

Mi mamá le dijo a mi esposo: "*Vístela y llévala a su cita de todos modos*". Me negué; ¿cual era el propósito? ¡Había perdido a los bebés! Mi mamá insistió mientras yo continuaba llorando. Mi esposo me vistió de todos modos y me llevó a mi cita.

Mientras mi esposo me llevaba a mi cita, yo miraba por la ventana y llorando le decía a Dios: "*Por favor, Papa Dios, si me dejas tener al menos un bebé, haré lo que Tú quieras que haga... pero por favor ...*"

Cuando llegamos al consultorio del médico y vi a todas esas mujeres embarazadas esperando sus propias citas, me puse peor. Cuando la enfermera me vio, me dejó entrar de inmediato. Mientras yo seguía llorando, ella siguió adelante y me hizo la prueba de embarazo en la sangre. Me consoló lo mejor que pudo y me dijo que me llamaría más tarde con los resultados. Cuando llegué a casa, todavía estaba llorando desconsoladamente cuando sonó el teléfono. Había pasado alrededor de una hora después de que había llegado a casa. Era la enfermera. Muy amablemente, ella dijo: "*¿Puedes sentarte para mí?" Y yo respondí: "Sí..."* *"¿Estás más tranquila?"*

Y entre lágrimas le dije que no. Entonces me dice: "*Tengo que darte una noticia; no estás embarazada."* Y comencé a llorar aún más. ¿Por qué me llamaría para decirme lo que ya sabía? Y ella entonces me dijo: *"No estás embarazada; estas bien embarazada! ¡Estamos esperando un embarazo con más de un bebé porque tus niveles de hormonas en la sangre están muy altos!*

"*¡Ay Dios mío! ¿Estoy embarazada?*" Mi llanto se detuvo de repente y comencé a gritarle a mi esposo: "*¡Estoy embarazada, estoy embarazada*!". Este fue el día más feliz de mi vida después del día que conocí a Jesús como mi Salvador.

Siempre recuerdo esta historia y se la cuento a quien quiera escucharla. Pienso en la escena frente al espejo cuando dije con fe, ¡*sé que estoy embarazada ahora*! Esta fue la fe incluso cuando no conocía a Jesús como mi Salvador. La fe es saber, no solo creer. Hay un dicho que dice que el diablo también cree y tiembla. Pero la justicia de Dios es por la fe. Requiere acción, decir lo que crees o hacer algo al respecto. Requiere que des unos pasos cuando no hay piso bajo tus pies. Porque no solo crees, ¡lo sabes!

La Biblia es un libro de amor y de fe. Hay una serie de héroes de la fe en el Libro de Hebreos. Léelo y medita en él.

"Así que la fe es por el oír, y el oír, por la palabra de Dios."

(Romanos 10:17 RVR1960)

La verdadera fe viene de escuchar la Palabra Viva de Dios. Así que toma tu Biblia y busca los versículos donde Dios te habla y te da una promesa para tu deseo, necesidad o problema. Tienes que saber que Dios está contigo y te ama. Medita en la Palabra hasta que sepas que ya la tienes en tu corazón, y luego la dices con confianza, con fe. Conoce y reconoce la grandeza y el amor de Dios. ¡Cambia tus circunstancias! Cambia este mundo natural en el que vivimos estableciendo con tus palabras habladas lo que no se ve. Trae el cielo a la tierra. ¡Hazlo realidad!

Atrévete a creer lo imposible hasta el punto en que no creas sino que sepas lo que está por venir. Confiésalo como si ya fuera. Regocíjate y agradece a Dios como si ya lo tuvieras. Recuerda siempre,

"Mas el justo por la fe vivirá."

(Romanos 1:17 RVR1960)

Capítulo 22

Serás Un Dador Alegre

"Porque el ministrar este servicio sagrado no solamente suple lo que falta a los santos, sino que redunda en abundantes acciones de gracias a Dios. Al experimentar esta ayuda, ellos glorificarán a Dios por la obediencia que profesan al evangelio de Cristo, y por suliberalidad en la contribución para con ellos y con todos. Además, por su oración a favor de ustedes, demuestran que los quieren a causa de la sobreabundante gracia de Dios en ustedes. ¡Gracias a Dios por su don inefable!"

(2 Corintios 9:12-15 RVA2015)

Dar es un don inefable; es tan grande que no hay palabras para describirlo. Viene de Dios. El que da ya es bendecido por la sobreabundante Gracia de Dios. Es por eso que Él ya está dando. Por eso Él ya es una bendición. El que siembra la semilla espera segar, no para la cosecha sino para presenciar cómo la semilla se multiplica y la cosecha se espera con ansias. Así que cuando damos nuestra semilla a otro, sabemos que se multiplicará, y bendecimos a la persona que la recibe. Sé bendecido para poder bendecir a otros.

"En todo les he demostrado que trabajando así es necesario apoyar a los débiles, y tener presente las palabras del Señor Jesús, que dijo: 'Más bienaventurado es dar que recibir'"."

(Hechos 20:35 RVA2015)

El segundo paso, que es más importante que el primero, es el propósito del proceso, que es glorificar a nuestro Dios dándole gracias. Cuando recibimos una bendición, le damos "*gracias a Dios*" por esa bendición. Sí, damos gracias a la persona de quien recibimos la bendición. Es Dios quien es glorificado por nosotros dando gracias.

La gracia es un permiso divino o un favor. Hace las cosas posibles; una luz verde, un paso libre, una puerta abierta, un flujo abierto, un grifo abierto. No hay obstáculos en el camino. No se necesita pago. Por ejemplo, somos salvos por la Gracia; no hicimos nada para ganarlo. La gracia es posible porque la sangre de Jesús quitó nuestros pecados. Cuando nos acercamos confiadamente al trono de la Gracia, entramos libremente en la presencia del Altísimo. La sangre tuvo que remover el obstáculo (los pecados) para que pudiéramos entrar a la presencia de nuestro Padre.

Por lo tanto, el milagro de sembrar y cosechar es un proceso de Gracia. Paso a paso, empezamos a entender el proceso del semillero, que siembra a mano abierta y ve cómo se multiplican las semillas. Dar estas semillas a otros para que las siembren es un testimonio de esta maravilla de la multiplicación y glorifica a nuestro Dios. Quizás al comprender este proceso de ver la multiplicación de las semillas, daríamos mucho más de lo esperado, sabiendo que glorificamos a nuestro Dios al dar gracias. Esta es la obra de gracia de Dios; no tienes que pagar nada; no es un pago porque no esperas nada a cambio. Eres un dador, otorgando regalos libremente; es de Gracia.

Gracias, Dios mío, por este don inefable; ¡No se puede describir! Pide semillas al semillero para que tú también puedas ver este milagro. No hay nada mejor que estar lleno de la Gracia de Dios. No hay nada mejor que sembrar todo tipo de semillas. El que da ya es bendecido.

Al que no tiene, se le quita lo poco que tiene. Tienes que tener algo que sembrar. No hablo solo de dinero, sino que todo lo que plantes se multiplicará. Lee la historia de Eliseo y el aceite de la viuda en 2 Reyes 4:1–7.

> "Den, y se les dará; medida buena, apretada, sacudida y rebosante se les dará en su regazo. Porque con la medida con que miden se les volverá a medir"."
>
> *(Lucas 6:38 RVA2015)*

Aprende que es dando que recibimos. Sí, dar de nuestro sustento libremente, sin trabas ni nada que pueda bloquear tu don. Por gracia, recibimos; por gracia, damos. Si no das, ¿cómo vas a recibir?

Además de dinero, ¿qué tienes para dar? Si das sabiduría, la recibirás de Dios aún más. Si oras por alguien, ten de seguro que tus oraciones serán contestadas. Siempre tenemos algo de nosotros mismos que podemos dar. Tu tubería tiene que tener una salida. Si está llena, pero el agua no sale, es porque no tiene salida, y no podrás recibir más. ¡Dios ama al que da con alegría!

Si sientes en tu corazón dar, da porque estás reflejando a Dios mismo, que nos da en abundancia. El diablo nunca quiere que des; él es quien siempre te preguntará si es la voluntad de Dios que des.

> *"Así ustedes serán hijos de su Padre que está en el cielo; pues él hace que su sol salga sobre malos y buenos, y manda la lluvia sobre justos e injustos."*
>
> *(Mateo 5:45 DHH94I)*

Dios es un dador. ¡Él hace llover sobre justos e injustos! Sé como Él para que todos sepan que eres un hijo de Dios. Siempre recuerdo que no podía esperar a que pasaran el plato en la iglesia. Solo quería dar a Dios por amor y gratitud. No pensé en lo que harían con ese dinero. Solo sabía que dando respondía al amor de Dios.

Es responsabilidad de la iglesia hacer lo que sea necesario con ese dinero. No es mi problema. Si iba a la librería, Dios siempre me decía que comprara libros para personas que nunca me hubiera atrevido a comprarles. Cuando salgo en el auto, me aseguro de tener efectivo en mi cartera en caso de que alguien me pida. Lo mismo en mi trabajo, siempre ayudaba a los demás y entregaba mi tiempo, siempre dando a los demás palabras de aliento, consejo u oración a quienes lo necesitaban sin peros ni dudas porque sabía en mi corazón que Dios estaba conmigo y que yo estaba trabajando para Él.

> *"Cada uno debe dar según lo que haya decidido en su corazón, y no de mala gana o a la fuerza, porque Dios ama al que da con alegría."*
>
> *(2 Corintios 9:7 DHH94I)*

Dios ama al dador alegre, la persona que da de corazón. No podemos dar más de lo que Dios nos da. ¡No puedes dar más que Dios! Cada uno debe dar como pueda y de acuerdo a su corazón sin esperar nada a cambio. Así mismo te digo, no creo que a Dios le agrade que te endeudes o que des cuando no puedes. Dios conoce tu corazón.

Da siempre libremente a quien te lo pida. Al que te debe, perdónale la deuda. Así como hacéis con los demás, así Dios, que está con ustedes y los vigila, hará con ustedes. Dios nos bendice y nos hace una bendición para los demás. Recuerda, Dios está a la puerta. Mirarás al cielo con gratitud y alabanza al reconocer cuán grande y generoso es nuestro Señor. ¿Qué tienes que Dios no te haya dado? Hablo a los que están en el Espíritu. ¡*Gracias, Señor, por tu amor, por tu Gracia y por tu don inefable!*

Capítulo 23

Tu Me Perteneces

> *"El SEÑOR me ha aparecido desde hace mucho tiempo, diciendo: "Con amor eterno te he amado; por tanto, te he prolongado mi misericordia."*
>
> *(Jeremías 31:3 RVA2015)*

¡Si supieras cuánto te ama Dios! ¡Si tan solo conocieras Su presencia! Él siempre está a tu lado, esperándote. Él siempre ha estado contigo, sin importar dónde estés, porque te ama. No importa cuán pecador creas que eres.

> *"¿A dónde me iré de tu Espíritu? ¿A dónde huiré de tu presencia? Si subo a los cielos, allí estás tú; si en el Seol hago mi cama, allí tú estás."*
>
> *(Salmos 139:7-8 RVA2015)*

Incluso si haces tu cama en el mismo infierno, Dios está allí contigo.

> *"He aquí que en las palmas de mis manos te tengo grabada; tus murallas están siempre delante de mí."*
>
> *(Isaías 49:16 RVA2015)*

Incluso tiene tu nombre grabado en Sus manos; ¡Así es como te ama Dios!

"Pero aun los cabellos de la cabeza de ustedes están todos contados. No teman; más valen ustedes que muchos pajaritos."

(Lucas 12:7 RVA2015)

Él tiene contados todos vuestros cabellos; Él sabe todo sobre ti. ¡Nada le sorprende porque tú vales más que muchos pajarillos, más que su creación! ¡Dios te ama porque vales más! Porque eres más. ¡Eres parte de Él!

Dios es amor; todo lo que hace o dice, lo hace para tu bien porque te ama; porque le perteneces a Él. Amo a mis niñas con locura, y no hay nada que hagan o digan que me impida amarlas porque son mías. Es lo mismo con mi nieto. Cuando lo tengo en mis brazos, no hay nada que no haría por él. ¡Lo amo hasta la muerte! Cuánto más nos ama Dios que no escatimó su propia vida en la cruz. ¡Dios te amó hasta la muerte! ¡Él te tiene a ti y te cuida las espaldas!

Parece que fue ayer cuando me sentía inquieta y triste. Pensando en nuestro futuro y no saber a dónde nos llevaría me trajo muchas preguntas a la mente. Entonces mi perrita Mia, una maltésa de miniatura, vino a mí para que yo la cogiera. Cuando la levante y la acerqué a mi, sentí que estaba temblando un poco entre mis brazos. Las palabras que salieron de mi boca fueron: "*No te preocupes, bebé; te tengo*." Inmediatamente supe que las palabras que salieron de mi boca eran la voz de mi Padre Celestial hablándome a mi. ¡Qué consuelo sentí en mi corazón! ¡Él me tiene! Él me posee; ¡Soy suya!

Así que deja de dudar del amor de Dios por ti. En lugar de eso, nutre ese amor al conocerlo a Él. Lee Su Biblia; es Su carta de amor para cada uno de nosotros. Háblale al Espíritu Santo, busca su rostro. Acércate a Dios, y Él se acercará a ti (ver Santiago 4:8).

Aléjate del mal, aléjate de ese camino torcido, aléjate de aquellos que te influencian hacia comportamientos maliciosos o viciosos. Involúcrate con las personas de buen corazón, las que son sabias y por lo tanto tienen éxito en todo lo que hacen, las que aman a Dios con todo su corazón. Consigue amigos que sean amorosos y que no se involucren en cometer fechorías. Acércate a las buenas personas; acércate a Dios. Déjate llevar por el camino recto. Caminar sobre esta tierra cuando sabes que no perteneces aquí es tedioso y muy difícil. Pero Dios te dice,

> *"Y he aquí, yo estoy con ustedes todos los días, hasta el fin del mundo"."*
>
> *(Mateo 28:20 RVA2015)*

¿Te sientes triste, rechazado, enfermo? Llámalo, invita a Dios a tu vida. Habla con Él, piensa en Él. Dios piensa en ti, así que espera en Él... porque Él te ama con amor eterno. ¡Llámalo, ámalo! No necesitas intermediarios; solo acércate a Dios. Nada puede separarte de Su amor (ver Romanos 8:38–39). Pídele a Dios que grabe Su amor en tu corazón. Entrega a Jesús tu vida; a cambio, Él te dará una nueva. Dale a Dios lo que te atormenta. ¡Dáselo todo a Dios!

Ríndete a Él. ¿No sabes que es la bondad de Dios la que nos lleva al arrepentimiento (Romanos 2:4)? Cuando me entrego a Su presencia, a la cruz, Su amor es tan grande que es como si todo lo bueno que hay en mí saliese a su encuentro. Lo malo en mí desaparece. Su presencia llama a la manifestación de mi hombre espiritual.

> *"Un abismo llama a otro a la voz de tus cascadas; Todas tus ondas y tus olas han pasado sobre mí."*
>
> *(Salmos 42:7 RVR1960)*

La presencia de Dios nos llama. Su Espíritu llama a nuestro espíritu. Su amor inagotable nos acerca a Él. Ese es el amor redentor de Dios, su amor eterno, inagotable y sin fin. Él está en la puerta. ¿Le dejarás entrar? (Apocalipsis 3:20)

Capítulo 24

Conocerás El Camino De La Fe

"Todo esto ha sucedido para bien de ustedes, para que, recibiendo muchos la gracia de Dios, muchos sean también los que le den gracias, para la gloria de Dios."

(2 Corintios 4:15 DHH94I)

Doy mil gracias a Dios, no solo hoy sino todos los días de mi vida, por tantas bendiciones, por todo lo que puedo pensar o imaginar. Todo lo que hay de bueno dentro de mi corazón y de mi vida es obra de Dios. Él me dio una nueva vida cuando creí que Jesús fue a la cruz por mí. ¡Por todo eso y mucho más, siempre le daré gracias!

Mirando hacia atrás en mi vida, ahora me doy cuenta de que no ha sido fácil, pero ha sido lo que he necesitado para crecer más y más a la imagen de nuestro Señor Jesucristo. Siento una gran gratitud y alegría por mi Dios porque mi vida le ha pertenecido desde siempre, incluso antes de estar en el vientre de mi madre. ¡Él es mi Guardián!

No solo le agradezco por lo que recibí materialmente, sino por todo lo que ha hecho en mi vida espiritual, lo que está haciendo y lo que hará en el futuro. Todo lo veré en Su tiempo si permanezco en la fe.

Muchas veces perdemos la noción de que Dios está presente y nos preocupamos e incluso nos desesperamos. No sé por qué siempre olvidamos cómo funciona la fe para nosotros. Creemos al enemigo de nuestras almas que Dios no nos escucha, que quizás algo hemos hecho mal, y que Dios nos está castigando o ignorando. Y esa es la mayor mentira con la que nos tienta el diablo. La mejor manera de ver las cosas que no son como si fueran es dar gracias a Dios. Si ya le has pedido muchas veces, y sigues pidiendo lo mismo, la mejor manera de recibir es cambiando tu forma de orar. Aprendamos de Jesús cómo le habló a Dios ante lo imposible.

> *"El que dice que permanece en él debe andar como él anduvo."*
>
> *(1 Juan 2:6 RVA2015)*

¿Recuerdas la historia de Lázaro? Cuando Jesús se enteró de que había muerto, siguió haciendo lo que estaba haciendo. Más adelante en la historia, cuando María, una de las hermanas de Lázaro, se le acercó, dice que Jesús lloró. Está bien si tienes que llorar por tu situación, pero no llores porque es imposible porque nada es imposible para Dios.

> *"Jesús le contestó: —¿No te dije que, si crees, verás la gloria de Dios? Quitaron la piedra, y Jesús, mirando al cielo, dijo: —Padre, te doy gracias porque me has escuchado. Yo sé que siempre me escuchas, pero lo digo por el bien de esta gente que está aquí, para que crean que tú me has enviado. Después de decir esto, gritó: —¡Lázaro, sal de ahí! Y el que había estado muerto salió, con las manos y los pies atados con vendas y la cara envuelta en un lienzo. Jesús les dijo: —Desátenlo y déjenlo ir."*
>
> *(Juan 11:40-44 DHH94I)*

"*Padre, te doy gracias porque me has escuchado. Yo se que siempre me escuchas*". Empecemos a cambiar nuestra forma de hablar con Dios. Pongámonos en el lugar que nos corresponde, en el lugar donde Dios ya nos escuchó. Si sabemos que Él nos escucha, también sabemos que tenemos lo que le pedimos.

> *"Y esta es la confianza que tenemos en él, que si pedimos alguna cosa conforme a su voluntad, él nos oye. Y si sabemos que él nos oye en cualquiera cosa que pidamos, sabemos que tenemos las peticiones que le hayamos hecho."*
>
> *(1 Juan 5:14-15 RVR1960)*

Recuerdo una noche cuando me invitaron a una iglesia para ministrar en lo profético. Llamé a una señora para que pasara al frente para darle una profecía, y le dije algo así: "*Así dice el Señor, cuando lo alabas, levanta tus manos al cielo con un corazón agradecido como si ya tuvieras tu pedido. Dale gracias porque ya está hecho*". Luego, cuando terminó el servicio, ella vino a mí y no me acordé de que le había profetizado.

Entonces ella me pregunta: "*¿Me conoces? ¿Me has visto antes?* Y la miré fijamente y le respondí: *"No, nunca te he visto antes. ¿Quién eres tú?*" Ella me respondió: "*Sirvo en esta iglesia y canto en el coro. Cuando me llamaste y me diste esa Palabra, me di cuenta que seguía pidiendo lo mismo y lo mismo, y Dios me dice hoy que cuando lo alabo, le de gracias como si ya lo hubiera recibido".*

¡Y esa es la verdad! Esa es la Palabra para todos nosotros. Cuando hablemos con Papa Dios, pongámonos en el lugar donde ya hemos recibido y no desde el lugar de la desesperación como si Dios no nos hubiera escuchado. Él siempre nos escucha. Antes de que hablemos, Dios ya nos ha escuchado. Entonces, ¿por qué no cambias tu oración hoy? Comienza dando gracias a Dios, no por lo recibido en la carne sino por lo que ya es recibido en el espíritu. Ese es el verdadero camino de la fe. ¡Verás cómo al agradecer a Dios, aceleras el camino de Su Gracia!

Gracias, Dios, por haber escuchado mi oración. Gracias, Dios mío, por tanto amor. Gracias porque mi vida no podría haber sido mejor de lo que es y mi mañana está en tus manos. Gracias por los días buenos y los días malos; estos me han hecho lo que soy. Gracias porque mi vida no ha sido perfecta. He tropezado y caído tantas veces, pero cada vez, Tu mano poderosa me ha levantado. ¡No podría haber sido mejor!

Capítulo 25

Bailarás Conmigo

"Así dice Jehová Dios, Creador de los cielos, y el que los despliega; el que extiende la tierra y sus productos; el que da aliento al pueblo que mora sobre ella, y espíritu a los que por ella andan:"

(Isaías 42:5 RVR1960)

"El viento sopla de donde quiere, y oyes su sonido; mas ni sabes de dónde viene, ni a dónde va; así es todo aquel que es nacido del Espíritu."

(Juan 3:8 RVR1960)

Un día estaba sola en mi casa. Estaba haciendo las tareas de la casa y lavando ropa. Yo estaba poniendo la ropa doblada de mis hijas en sus gavetas. Me senté en una de las camas y miré por la ventana. Recuerdo que me sentía algo triste, pero no recuerdo el motivo. Entonces entré en un estado meditativo cuando comencé a mirar a un sauce plantado frente a mi casa. Este era muy similar a aquel en la que el Señor y yo nos reuniamos habitualmente en mi imaginación. Yo estaba perdida en mis pensamientos cuando noté que el sauce estaba llorando. No había viento para mover las ramas.

Yo recuerdo que me fijé en mi sauce y le dije a mi Señor: "*¡Mira! ¡El sauce parece estar tan triste!* Él me respondió: "*Así es tu corazón. Tu corazón está triste, pero ¡mira ahora!*

Tan pronto como me hablas, tu corazón comienza a bailar". En un instante, el viento comenzó a soplar y las ramas del sauce comenzaron a moverse de la manera más majestuosa y hermosa. ¡Las ramas parecían estar bailando! Yo me sonreí.

"*¡Señor, te amo tanto! ¡Mi corazón te anhela*!" Y mi espíritu cedió al sonido de su voz, y comencé a adorarlo.

Hasta el día de hoy, siempre recuerdo mi sauce frente a mi antigua casa. No importa la situación por la que estés pasando, no importa cuán triste te sientas, vuelve tu mente y tu conversación a tu Padre Celestial. Aunque no lo sientas de inmediato, tu corazón comenzará a recibir la vida, el amor y la paz que lo harán revivir nuevamente. El Espíritu Santo hará que tu corazón, como el sauce, vuelva a bailar. El viento siempre está ahí, incluso cuando no lo ves. El Espíritu es el aliento y viento de Dios, y Él siempre está ahí para ti. Habla con Él, en voz alta o en tu mente. Vira la rueda hacia el Espíritu; Él siempre está esperando para escucharte y hablarte.

Capítulo 26

Tu No Puedes, Pero Yo Si Puedo

"Sigan unidos a mí, como yo sigo unido a ustedes. Una rama no puede dar uvas de sí misma, si no está unida a la vid; de igual manera, ustedes no pueden dar fruto, si no permanecen unidos a mí. »Yo soy la vid, y ustedes son las ramas. El que permanece unido a mí, y yo unido a él, da mucho fruto; pues sin mí no pueden ustedes hacer nada."

(Juan 15:4-5 DHH94I)

Yo trabajaba en un hospital adventista, donde comen principalmente comida vegetariana. Eso estaba bien conmigo; solo que me volví más selectiva con los alimentos que comía. Sin embargo, debido a que yo no era adventista, estaba acostumbrada a comer una comida estadounidense normal. Veía las hermosas presentaciones de la variedad de verduras y frutas que tenían en la cafetería del hospital, y sin embargo no me parecía atractivo de ninguna manera. Simplemente los miraba y luego elegía mis habituales papas majadas o mis papas fritas y jugo favoritos. Cuando llegaba a casa del trabajo, cocinaba muchos días para mi familia, pero había días que teníamos prisa, y me conformaba con parar a comprar las hamburguesas y papas fritas habituales del servicio de comida rápida. Por lo general, siempre recuerdo que terminaba teniendo un dolor de estómago terrible.

Sabía en mi corazón que debería haber estado comiendo mejor por mi salud y por mis hijas, pero descubrí que era un tema de discusión que me cansaba. Mis amigos me decían sobre mi mala salud y la relación con mis malas elecciones de alimentos, pero decidí ignorarlo. Sentía que me estaban molestando todo el tiempo. Este día, en particular, estaba en casa y tenía dolores de estómago frecuentes, y le pedí al Espíritu Santo: *"Espíritu Santo, sé que debería estar comiendo mejor y sé que estas hamburguesas me están matando, pero simplemente no puedo ¡No puedo dejar de comerlas! Parece que no puedo comer lo que es bueno para mí. ¡Señor, si puedes cambiarme, por favor hazlo!"*.

Al día siguiente estaba en la cafetería a la hora del almuerzo. Aunque todavía tenía la mente puesta en comer lo que no era bueno para mí, seleccioné hermosos vegetales de hermosos colores para comer. No fue hasta más tarde que me di cuenta de que me los estaba comiendo, ¡y realmente sabían deliciosos! ¿Cómo podría estar yo comiendo verduras? En ese momento me di cuenta de que el Señor me había cambiado. Y cuando conducía a casa, me di cuenta de que ya no quería comerme otra hamburguesa. Mis antojos y mis selecciones de alimentos cambiaron de inmediato. No cambié mis viejos hábitos alimenticios por mí misma. Simplemente le confié al Espíritu Santo que no podía hacerlo, que no podía cambiar la forma en que comía, y eso fue todo. ¡El Espíritu Santo lo hizo! ¡Él me cambió! Y de la misma manera que Él lo hizo por mí, el Espíritu Santo puede cambiarte a ti.

Capítulo 27

Te Daré Todas Las Cosas Libremente

"Si Dios no nos negó ni a su propio Hijo, sino que lo entregó a la muerte por todos nosotros, ¿cómo no habrá de darnos también, junto con su Hijo, todas las cosas?"

(Romanos 8:32 DHH94I)

El regalo más preciado que nuestro Dios nos dio fue la vida de Su Hijo unigénito, Jesucristo. Piénsalo. No se quedó con Jesús, sino que lo entregó a cambio de nosotros, de nuestra redención, de nuestra salvación. Entonces, ¿por qué pensarías que Dios te negaría algo más? Él te dará gustosa y gratuitamente todas las cosas. Este es el significado de la Gracia, darnos gratuitamente, continuamente, sin objeciones, sin vacilación, sin pago, sin ningún mérito propio, sin interrupción.

Es como un río que fluye sin interrupción, donde las aguas se mueven libremente a lo largo de las orillas del río. Dios no permitirá nada que detenga el flujo de este río en nuestras vidas. Nosotros somos los que ponemos obstáculos a este flujo. Estamos bajo la Gracia. Por ejemplo, mira el sol: continuamente nos baña con sus rayos. Así es Dios con nosotros, donde Él no impedirá que el sol brille. De la misma manera, Él nos ha agraciado y bendecido con toda bendición espiritual.

"Bendito sea el Dios y Padre de nuestro Señor Jesucristo, quien nos ha bendecido en Cristo con toda bendición espiritual en los lugares celestiales."

(Efesios 1:3 RVA2015)

Debido a que hemos aceptado a Jesús como nuestro Salvador, Dios nos ha sentado en Él en lugares altos en Cristo. Él nos ha favorecido divinamente dándonos todo lo que podamos necesitar. Pero somos nosotros los que tenemos que aprender a recibirlo.

"Su divino poder nos ha concedido todas las cosas que pertenecen a la vida y a la piedad por medio del conocimiento de aquel que nos llamó por su propia gloria y excelencia."

(2 Pedro 1:3 RVA2015)

Entonces, ¿por qué no tenemos todo si Dios ya ha dado todo lo que necesitamos? ¿Por qué nos falta? Es por nuestra ignorancia al pedir. Simplemente no sabemos cómo preguntar. Dios sabe todo lo que necesitamos, incluso cuando no lo decimos. Tal vez pensamos que podemos conseguirlo por nosotros mismos. O tal vez pensamos que no queremos molestar a Dios con nuestros problemas. Pero el problema ocurre cuando no pedimos.

Pedir dice que no lo tenemos.

Pedir dice que Dios tiene lo que necesito.

Pedir no es para los orgullosos; es para el espíritu humilde (el pobre en espíritu).

"Pidan, y se les dará. Busquen y hallarán. Llamen, y se les abrirá. Porque todo el que pide recibe, el que busca halla, y al que llama se le abrirá."

(Mateo 7:7-8 RVA2015)

Humíllate ante Dios y reconoce que Él es Dios, y tú no lo eres. Pide porque no tienes lo que necesitas. Tal vez sea sabiduría, entendimiento, inteligencia, conocimiento, salud, dinero, favor, paciencia, perdón; lo que necesites, pídeselo a Dios y Él te lo dará. En el Salmo 84:11 (RVR), dice,

> *"Porque sol y escudo es Jehová Dios; Gracia y gloria dará Jehová. No quitará el bien a los que andan en integridad."*

¡Qué maravillosa promesa para los hijos de Dios! No tengas miedo de preguntar; los que piden recibirán. Si caminas rectamente con Dios, Él no te quitará nada. Pide lo que no tienes, pero no pidas lo que ya tienes. Dios ya te ha dado todo lo que pertenece a tu vida y a la piedad (2 Pedro 1:3). Si Él ya te ha dado todo lo que necesitas, entonces lo único que tienes que hacer es agradecerle. Estudia las Escrituras. En lugar de rogar, pide y luego da gracias por lo que Él ya te ha dado.

Recuerdo de camino a mi trabajo y antes de entrar, repetía con mi boca todos los días: "*Gracias, Señor, porque soy bendecida, soy muy favorecida y muy amada. Gracias porque ya estoy ayudada*". Y así era todo el día. ¡Una vida sobrenatural

Sé humilde, sé específico y siempre da gracias. Dios ama dar regalos buenos y perfectos a Sus hijos. Recuerda siempre que nuestro Padre es un Dios de amor, y nada detendrá Su amor por ti. ¡Nada!

Capítulo 28

Tu Tendrás La Paz de Dios

"Y la paz de Dios gobierne en vuestros corazones, a la que asimismo fuisteis llamados en un solo cuerpo; y sed agradecidos."

(Colosenses 3:15 RVR1960)

"Y procurad la paz de la ciudad a la cual os hice transportar, y rogad por ella a Jehová; porque en su paz tendréis vosotros paz."

(Jeremías 29:7 RVR1960)

"¿Y cómo predicarán si no fueren enviados? Como está escrito: ¡Cuán hermosos son los pies de los que anuncian la paz, de los que anuncian buenas nuevas!"

(Romanos 10:15 RVR1960)

"Pedid por la paz de Jerusalén; Sean prosperados los que te aman. Sea la paz dentro de tus muros, Y el descanso dentro de tus palacios. Por amor de mis hermanos y mis compañeros Diré yo: La paz sea contigo."

(Salmos 122:6-8 RVR1960)

"La paz os dejo, mi paz os doy; yo no os la doy como el mundo la da. No se turbe vuestro corazón, ni tenga miedo."

(Juan 14:27 RVR1960)

La palabra "paz" en estos versos en el idioma griego es *eirēnē*, lo que significa un estado de tranquilidad nacional, paz entre individuos, armonía y acuerdo, que resulta en seguridad, salvación, prosperidad y felicidad. Proviene de la palabra griega *eiro*, que significa unir.

Entonces podemos decir que Jesús vino a traernos el evangelio para que todos los que creen en Él puedan recibir esta paz. Jesús ha vuelto a re-conectar ó conectar de nuevo con el Dios de paz. Él nos ha unido unos a otros, haciéndonos un solo cuerpo en Cristo. Hay paz entre nosotros. Jesús no nos trajo la paz de este mundo sino la paz de Dios. Esta es una realidad espiritual.

Entonces tenemos que hacer que esa paz gobierne nuestros corazones para que permanezcamos unidos, con una sola mente, unos a otros, formando un solo cuerpo.

> *"Os ruego, pues, hermanos, por el nombre de nuestro Señor Jesucristo, que habléis todos una misma cosa, y que no haya entre vosotros divisiones, sino que estéis perfectamente unidos en una misma mente y en un mismo parecer."*
>
> *(1 Corintios 1:10 RVR1960)*

Estamos viviendo tiempos muy difíciles donde hemos sido testigos de cómo se ha dividido el cuerpo de Cristo. Hemos permitido que todo tipo de pensamiento humano, egoísmo e interés propio nos separen. Recordemos que aunque somos un solo cuerpo, somos diferentes personas con diversas características, pensamientos y diferentes dones. Sin embargo, somos un solo cuerpo y un solo espíritu. ¡Cómo hemos permitido que el enemigo de nuestras almas nos divida sembrando semillas de discordia entre nosotros!

A veces miramos el mundo natural cuando se supone que debemos mirar el mundo espiritual. Entonces, ¿cómo vamos restaurar las relaciones que se han perdido? Tenemos que recuperar esa paz que Dios nos dio. ¿Cómo nos re-conectamos entre nosotros? Lo hacemos hablando, diciendo, afirmando, anunciando y declarando el amor y la paz de Dios.

Hay un método que utilizo desde hace casi treinta años, como consejera ó en mi vida diaria, y es muy efectivo para restaurar la paz y el amor en las relaciones. Lo he usado cada vez que identifico discordia o sentimientos encontrados que han creado separación. Simplemente afirmo con autoridad quién soy y quién es la otra persona, y con autoridad ordeno ó afirmo la realidad espiritual que falta entre nosotros así como dcbc scr.

Por ejemplo, estoy triste porque no he visto a Carmen, una amiga de hace mucho tiempo. Ella podría tener sentimientos en contra mía. Tengo que verla, pero siento que no hay paz entre nosotras. Justo antes de verla, declaro lo siguiente: *"Yo soy hija de Dios, y Carmen es hija de Dios también. Por lo tanto, somos hijas del amor. Declaro en el nombre de Jesús que no hay nada más que amor, paz, respeto y bondad entre nosotras"*.

Esa declaración hace toda la diferencia. Decretar las verdades de Dios cambia la atmósfera espiritual. El resultado de mis declaraciones de fe fue la paz; Carmen me trató bien, con cariño, sin sarcasmos ni groserías. Cuando utilizo este método de decretar, siempre funciona, ya sea con mis hijas, mi esposo o conocidos. Establezco la paz de Dios. Estoy permitiendo que el amor y la paz de Dios tomen su lugar entre la otra persona y yo. Soy el portador de esa paz. Estoy estableciendo las reglas del juego a mi alrededor antes de llegar. Hay batallas que no podemos ganar cara a cara, pero podemos ganar en espíritu. Solo intentando esto, sin importar quién sea la otra persona.

Tienes autoridad sobre cualquier tormenta, más aún si es espiritual. El Espíritu Santo se mueve con tus palabras y las hace realidad. No permitas que circunstancias fuera de tu control te aíslen y destruyan las relaciones que son importantes para ti. No temas, que no se turbe tu corazón. Recuerda quien eres. Elimina el obstáculo declarando lo que debería ser.

> *"(, el cual da vida a los muertos, y llama las cosas que no son, como si fuesen."*
>
> *(Romanos 4:17 RVR1960)*

Vuelve a conectar con Dios. Aprende cómo Él opera en lo espiritual para traer resultados en lo natural. Si vives en el Espíritu, aprende a caminar en el Espíritu. *Gracias, Señor, porque no hay nada difícil para Ti. ¡Camina conmigo, precioso Espíritu Santo!*

Capítulo 29

Estarás Protegida

"Enséñame a hacer tu voluntad, porque tú eres mi Dios. ¡Que tu buen espíritu me lleve por un camino recto!"

(Salmos 143:10 DHH94I)

¡Enséñame porque Tú eres mi Dios! Cuando miramos a Dios, cuando pensamos en Él, cuando lo alabamos con nuestro corazón y lo adoramos, nuestro espíritu se levanta y comienza a fluir desde adentro. El Espíritu Santo de Dios llama a nuestro espíritu a levantarse, a despertar. Él nos toca, nos encuentra, nos abraza y nos envuelve en su amor. Él no es sólo Dios; El es bueno. ¡El Espíritu Santo es bondad! ¡Él es nuestro maestro, nuestro compañero, nuestro consejero, nuestro Dios! Él es el que ama a nuestras almas.

Cuando sentimos miedo, solo toma un momento el mirar hacia arriba y orar. Cuanto más alto buscamos a Dios, más profundo nos conduce. Cuanto más alto levantamos nuestras manos y alabamos, más profundo lo encontramos en nuestros corazones. Es la paradoja de Dios en cuanto a Su amor.

"El Señor está por encima de las naciones; ¡su gloria está por encima del cielo! Nadie es comparable al Señor nuestro Dios, que reina allá en lo alto; y que, sin embargo, se inclina para mirar el cielo y la tierra."

(Salmos 113:4-6 DHH94I)

Dios es más alto que los cielos y habita en lo alto. Ahí es donde está Su templo, y ahí es donde pertenecemos. Cuando estamos en peligro o tenemos miedo, y nuestro corazón está abrumado, Él nos lleva al lugar que le corresponde. ¡A la roca que es más alta que yo!

"Desde el cabo de la tierra clamaré a ti, cuando mi corazón desmayare. Llévame a la roca que es más alta que yo,"

(Salmos 61:2 RVR1960)

Debemos recordar que somos Su templo, y nuestros corazones son Su santa morada. El Espíritu Santo vive dentro de nosotros y con Él toda Su Gloria, verdad, poder y fortaleza. Estamos llenos de Su precioso Espíritu; solo tenemos que mirar hacia Él.

"Con la ayuda del Espíritu Santo que vive en nosotros, cuida de la buena doctrina que se te ha encomendado."

(2 Timoteo 1:14 DHH94I)

Cuando alabas a Dios, simplemente vuélvete hacia adentro en tu corazón en lugar de permitir que las apariencias te abrumen. Si reconociéramos y nos enfocáramos en nuestra profunda conexión espiritual con Dios, entonces siempre estaríamos guiados y protegidos porque ese es el plan de Dios. Hay enemigos invisibles que, con nuestros ojos, tal vez no entendamos ni imaginemos, pero Dios nos mostrará qué hacer, adónde ir y cómo prosperar. Él te dará el discernimiento para que sepas qué hacer.

No ignores la pequeña y apacible voz en tu corazón, incluso cuando sea difícil de escuchar, incluso cuando sería más simple y más fácil ignorarla. Este maravilloso corazón tuyo sabe qué hacer cuando no puedes ver. Incluso cuando te sientas asustado o aterrorizado, sé valiente y escucha la voz de Dios. Se puede confiar en Él. ¡*Gloria sea a Su santo nombre!*

Capítulo 30

Tu Eres La Hija Del Rey

"Oye, oh Jehová, mi voz con que a ti clamo; Ten misericordia de mí, y respóndeme. Mi corazón ha dicho de ti: Buscad mi rostro. Tu rostro buscaré, oh Jehová; No escondas tu rostro de mí. No apartes con ira a tu siervo; Mi ayuda has sido. No me dejes ni me desampares, Dios de mi salvación."

(Salmos 27:7-9 RVR1960)

¡Cuántas veces nos oímos como si Dios no nos escuchara! La verdad es que Dios nos escucha antes de que le hablemos o le preguntemos cualquier cosa. ¿Qué podemos hacer en estas circunstancias?

En lo personal, hace años, hubo una temporada en la que no sentía la presencia de Dios, ni podía escucharlo. Yo estaba preocupada, pensando que tal vez había hecho o dicho algo que hubiese ofendido a Dios, y por lo tanto, Él había dejado de hablarme. Entristecida por esto, y estando en mi trabajo, miré al cielo y le dije en voz baja: "¡*Regáñame, Dios mío, pero por favor nunca dejes de hablarme*!". Vivía en una gran agonía y culpa sin saber cuál era la razón.

Esto continuó durante un par de días, y para mí, se sintió como una eternidad. Estaba tan acostumbrada a sentirlo, a escuchar Su voz. Hasta que un día, estaba en la cafetería de mi trabajo y me vino a la mente el Libro de Job capítulo uno, cuando satanás entró en la presencia del Señor para pedir permiso para tocar las posesiones de Job. Entonces me di cuenta de que si satanás podía entrar en la presencia de Dios, ¿cómo no voy a poder entrar yo si soy una hija de Dios?

Llena de confianza y un poco molesta con el diablo, miré hacia el cielo y hablé en voz alta a Dios y dije: "¡*Si Satanás puede entrar en Tu presencia, Padre, ¡yo también puedo!*" Y de repente, los cielos se abrieron, y la hermosa presencia de Dios y Su Gloria cayeron sobre mí. Levanté mis manos y lo adoré.

Ahora miro hacia atrás y me doy cuenta de que mi fe tenía que ser probada. Si no hubiera conocido la Palabra, no me habría dado cuenta de que soy hija de Dios. Si satanás tiene privilegios en el cielo para ir y venir a su antojo, ¡cuánto más yo que he sido redimida y adoptada en Cristo! El Señor Jesús nos dijo,

> *"Mis ovejas oyen mi voz, y yo las conozco, y me siguen".*
>
> *(Juan 10:27 RVR19609)*

¡Entonces no te detengas hasta que escuches a Dios! Hay momentos en que no sentiremos nada ni oiremos Su voz. Habla con Él de todos modos. Si has cometido algún pecado, confiésalo al Señor. Si necesitas ayuda, clama a Dios. Conoce Su Palabra, conoce Su carácter. Asegúrate de saber que Él está allí contigo en todo momento. Él nunca nos deja ni nos desampara. Él es fiel, incluso cuando nosotros no lo somos (2 Timoteo 2:13). Avanza hacia Su presencia; ahí es donde tú perteneces.

Capítulo 31

Estaré Caminando Junto A Ti

"Nosotros le amamos a él, porque él nos amó primero."

(1 Juan 4:19 RVR1960)

¿Por qué amamos a Dios? Porque Él nos amó primero (1 Juan 4:19) y no vio otra manera de rescatar a Sus hijos del pecado y de la muerte que enviar a Su Hijo primogénito a derramar Su preciosa sangre y dar Su vida por nosotros. Él nos rescató para Sí mismo, nuestro Padre Celestial. Por eso lo amo tanto; por eso lo alabo y lo adoro. Siempre siento la presencia de Dios que envuelve mi alma y mi cuerpo. ¡Estoy apasionada por mi Señor!

"En esto conocemos que permanecemos en él, y él en nosotros, en que nos ha dado de su Espíritu."

(1 Juan 4:13 RVR1960)

Si puedes sentir el Espíritu Santo, es porque Él te ama. Incluso cuando no puedes sentirlo, Él todavía está a tu lado. Su amor me fascina y me inspira. Su Palabra y Su ley me deleitan y me dan vida. Lo amo porque Él me ama. Si no fuera así, no podría oírlo; No podría sentirlo. Y cuando no siento la presencia de nuestro Dios, sé que Él todavía está allí. Esta es la evidencia de que permanezco en Él, que siempre estoy en Su presencia.

Su Palabra me da vida y penetra mi alma y mi corazón. En los momentos de angustia, no temo por mi vida porque Él es mi dueño. Y si Dios me llama, digo, aquí estoy, mi Señor.

Cuanto sufro y lloro por los que no le conocen ni conocen su amor eterno. Aquellos que no conocen Su presencia, oro constantemente por ellos. Entonces, no abandones a los que no conocen a Jesús. Sabrán que son Sus discípulos por el amor que emana de ustedes, el amor de Dios que se refleja en ustedes, en sus voces, en sus vidas. Es un amor que la gente puede sentir. Ilumina y toca a todos los que te rodean. Qué sorpresa cuando te entregas por completo: alma, vida y corazón a Él, y Dios te usa sin una palabra de tu boca.

Recuerdo un día caminando en mi vecindario con mis gemelas. Caminamos cerca de una vecina que yo no conocía y la saludé. Su nombre era Priscila. Unos minutos después de llegar a casa, alguien llamó a la puerta. Cuando fui a comprobar quién era, era mi vecina Priscilla. Simplemente me dijo: *"Quiero lo que tienes; ¡La presencia de Dios está contigo!"* En ese momento, me sorprendieron sus palabras. Aproveché ese momento y le expliqué que esa presencia era la presencia de Jesús, la presencia del Espíritu de Dios. Hablé mucho de Él y de cómo Él camina conmigo. Recuerdo que Priscilla fue la primera miembro y un pilar en mi iglesia.

En otra ocasión, recuerdo una vez que estaba entrando al salón de clases de mi niña para encontrarme con su maestra, y la vi mirándome con asombro desde que entré por la puerta. Ella preguntó: *"¿Es usted pastora?"*

Y yo respondí: *"¿Cómo lo sabes?"*. *"¡Porque desde que entraste al salón de clases, sentí la presencia de Dios contigo!"*

O cuando estaba sentada en una mesa, comiendo en casa de una amiga, y su padre, a quien no conocía, me preguntó: *"¿Eres pastora?"*. Y le pregunté: *"¿Cómo lo sabes?"*.

"¡Porque desde que abriste la boca, sentí la presencia del Señor!" O cuando en el trabajo, estaba caminando de regreso a mi puesto, y mi amiga Magda, que estaba de espaldas a mí, me dijo: "*Sabía que venías porque sentí la presencia del Señor contigo*".

Esta manifestación de la presencia de Dios no es sólo para algunos sino que también puede serlo para ti; simplemente ámalo. Sólo habla con Él. Habla con Dios todo el tiempo. ¡Si supieras lo maravilloso que es nuestro Señor Jesús! Cuando Él nos ama, no podemos sino amarlo de vuelta. Somos vasos donde el Espíritu Santo ha sido derramado, y Su amor se desborda en nuestros corazones.

> *" porque el amor de Dios ha sido derramado en nuestros corazones por el Espíritu Santo que nos fue dado."*
>
> *(Romanos 5:5 RVR1960)*

Hay un momento para todo; para sembrar, regar y cosechar. A veces no tienes que decir nada, ni una palabra. Mientras lo ames y lo adores por dentro, por fuera también lo sentirán los llamados. No te regocijes por los milagros o tus obras; ¡Alégrate de que tu nombre esté grabado en Sus manos (Isaías 49:16) y en Su Libro de la Vida! Dale tu total dedicación y háblale todo el tiempo en tu mente y corazón. Él sabe todo antes de que se lo digas. Cuéntale sobre tu día; cuéntale acerca de tus preocupaciones. Dile lo que hay en tu corazón. Dile si estás molesto con Él. Cuéntale sobre tus niños, tus problemas, tu familia y tus desafíos. Házle preguntas; Él es tu mejor amigo. Entra en la presencia de Su amor; es allí donde encontrarás tu milagro.

Sigue tu camino hacia Dios. No mires a la izquierda ni a la derecha. ¡No camines, solo corre! ¡Dios te está esperando en Su amor eterno! No dejes que las cosas de este mundo te distraigan. Hay alguien esperándote que ya ha conquistado el mundo para nosotros. ¡Camina en Su victoria! Solo piensa en Dios y di con una sonrisa, "*Dulce Señor, estas aquí!*".

Capítulo 32

Estoy Aquí Junto a Ti

"Y aun hasta el día de hoy, cuando se lee a Moisés, el velo está puesto sobre el corazón de ellos. Pero cuando se conviertan al Señor, el velo se quitará. Porque el Señor es el Espíritu; y donde está el Espíritu del Señor, allí hay libertad. Por tanto, nosotros todos, mirando a cara descubierta como en un espejo la gloria del Señor, somos transformados de gloria en gloria en la misma imagen, como por el Espíritu del Señor."

(2 Corintios 3:15-18 RVR1960)

Un domingo por la mañana, mientras estaba sentada en el servicio de mi iglesia, el Espíritu de Dios abrió mis ojos espirituales y vi una visión. Benny Hinn caminaba de un lado a otro del púlpito. Lo vi cargando un espejo muy grande en forma de corazón sobre su pecho. Entonces vi como, mientras el pastor predicaba en el Espíritu, una gran luz brillante que venía del cielo daba en el espejo, y la luz se reflejaba en la congregación, iluminándonos. Esta era la luz de Dios, la Gloria del Señor brillando sobre nosotros. Al mismo tiempo que recibimos Su luz, somos transformados a Su imagen por esa luz. Fue de Gloria en Gloria, como por el Espíritu del Señor.

Vino a mí mente hace años cuando una de mis hermanas menores estaba a punto de casarse. Somos siete hermanos en total. Ella me preguntó si yo podía casarla. Yo estaba muy nerviosa porque tenia que viajar de Florida a Puerto Rico solo por tres días, y eso no me no ma daba tiempo suficiente para conocer al novio. Por lo general, doy un poco de asesoramiento prematrimonial a la pareja. Esta vez no hubo nada de eso. Decidí darles el asesoramiento el día antes de la boda.

Como estaba previsto, llegó el día, pero mi corazón no estaba en paz. La novia era una de mis hermanas menores y siempre me sentía responsable de ellas. Solo conocía al novio desde hacía un par de horas, y ahora tenía que casarla con el. Pensé que realmente no sabía nada sobre su relación, y eso me mantuvo orando toda la noche. Oré en el espíritu continuamente toda la noche porque realmente no sabía por qué orar, pero sabía que el Espíritu Santo lo sabía. El le habla directamente al Padre y pide Su perfecta voluntad.

> *"Y de igual manera el Espíritu nos ayuda en nuestra debilidad; pues qué hemos de pedir como conviene, no lo sabemos, pero el Espíritu mismo intercede por nosotros con gemidos indecibles."*
>
> *(Romanos 8:26 RVR1960)*

En la mañana de la boda, todos corrimos para llegar a tiempo. Aunque esta era la tercera boda que realizaba, me sentía muy nerviosa. La novia estaba hermosa, pero la ansiedad se sentía. Había tantos familiares, amigos y personas frente a mí, y pensaba en mi cabeza: "*¡Señor, mira cuántas personas hay aquí! ¡Cómo me gustaría predicar el evangelio y recibir almas para Ti ahora! Pero tengo que hacer la boda...*"

Una vez que comenzó la ceremonia, me dio el miedo al público. Tal como hubiera dicho la gran Kathryn Kuhlman: "*Morí mil veces*". Morí a mí misma y le di paso al Espíritu Santo para que hiciera Su obra. Simplemente me senté en la parte posterior de mi cabeza y me convertí en una espectadora más de lo que Él estaba haciendo. Esta es una experiencia difícil de explicar, pero fue como si retrocediera en mi mente y vi cómo el Espíritu hablaba a través de mí. Observé como el Señor realizó la ceremonia, y todo salió bien, ¡hermoso! Aún así, me entristecí, pensando ¡cómo me hubiera gustado predicar el evangelio! ¿Cuántas personas había que no conocían a Jesús? Me preguntaba si la gente realmente sentía la presencia de Dios en ese lugar.

Todo salió perfecto, y después de la ceremonia, hubo una recepción y me uní a la celebración. No teníamos mucho tiempo para hablar con el resto de la familia, y cuando todo terminó, corrimos para tomar nuestro vuelo de regreso a Orlando.

Esa noche, cuando llegamos a casa, estaba un poco preocupada. Todavía estaba pensando que podría haber predicado el evangelio a todas aquellas personas que sabía que no conocían al Señor. De repente sonó el teléfono, y cuando lo cogí, era otra de mis hermanas. Parecía tan feliz cuando comenzó a decir: "*¡Lourdes, lo hiciste en esa boda! ¡Qué hermoso era todo! ¡Te fuiste y no pude decirte lo que pasó! No te imaginas cómo sentimos la presencia de Dios en la parte de atrás donde yo estaba sentada. ¡Nuestra hermana menor también me dijo que la presencia se sentía increíble! No solo eso, mi novio, que no conocía al Señor, me dijo que vio a Jesús parado en lo alto detrás de ti mientras dirigías la ceremonia, que el Señor lo llevó en su espíritu desde que era pequeño hasta el presente. Era como un recorrido por su vida. Estaba temblando y ni siquiera podía decir una palabra. Imagínate, él no conocía a Jesús personalmente, y en ese momento, ¡lo podía ver! ¡Que alegría!*"

Imagínense cómo me sentí al saber que mientras observaba al Señor dirigiendo la ceremonia, Él estaba realmente presente en ese lugar. ¡La gente sintió y hasta vio a Jesús! ¡Al menos uno que yo conocía lo vio! ¡Gloria a Dios! Aunque no les prediqué el evangelio para salvación, el Señor mismo no necesitaba que les dijera nada porque pudo manifestarse a mucha gente que estaba en aquel lugar.

Mientras caminas con el Señor, oras, hablas o lees la Palabra, cuando lo alabas y lo adoras, aunque no lo veas, estás reflejando la Gloria de Dios y Sus obras. Como un espejo en tu corazón, la gente puede ver y sentir que Jesús está ahí. *¡Gracias, Señor Jesús!*

Vuélvete al Señor. Confía en Él. Ora en el Espíritu; ¡Él trae lo sobrenatural! Jesús sabe lo que hay que hacer. No dejaría ir a la gente sin tocar sus corazones. ¡Mira a Jesús! Mira Su belleza; mantén tu mirada en Su hermoso rostro. Mientras lo amas, Jesús está reflejando su imagen; Su gloria está por todas partes. ¡No te preocupes, no temas! El Señor está justo aquí.

Capítulo 33

Nunca Llegaré Tarde

Un día en el trabajo, estaba hablando con una de mis compañeras, quien también era mi amiga del estudio de la Biblia y de la iglesia a la que asistía. Le estaba comentando en una conversación informal sobre cómo ella siempre recibía profecías en la iglesia y cómo nuestro pastor siempre la tocaba, y ella siempre caía bajo el poder de Dios. Por el contrario, yo nunca había podido experimentar el ser vencida por el poder de la presencia de Dios de tal manera. En el tiempo que yo había estado en la iglesia, mi pastor nunca había profetizado sobre mí. De hecho, cada vez que iba al frente para oración, él me saltaba y nunca oraba por mí. Mi buena amiga respondió: "*Él sólo profetiza a los que no pueden oír a Dios. Si puedes oír al Espíritu continuamente, ¿por qué te profetizaría?* Recuerdo que le respondí: "*Sí, es verdad... Es mejor que no me profetice. ¿Imagínate si lo hace?, y sucede que el Señor me dice: 'No sé para qué estás estudiando para ser ministro porque no te he llamado'. Esto sería devastador para mí. ¡Aúnque el Señor no me hubiera llamado, yo aun así lo seguiría!*" Y la conversación se detuvo allí.

Esa noche, cuando estaba en casa con mis hijas preparándolas para ir a la cama, siempre teníamos un horario en el que primero jugaba con ellas por un rato y luego cantábamos algunas canciones de adoración juntas, seguidas de oración. Hacíamos esto todos los días sin falta.

El tiempo de oración en la noche con mis hijas fue un momento tan especial en nuestros días, y mis hijas lo disfrutaron mucho, pero el tiempo de oración en esta noche en particular fue diferente. Mis niñas, con su inocencia, se turnaban para orar, y Estela iba primero. Con alegría en sus ojos y su entusiasmo, hizo su oración de la mejor manera que sabía. Ella oró por cada uno de nosotros, por sus abuelos y por todos los que conocía en ese momento. Sin embargo, Christina tenia un retraso en el habla. En ese momento, todavía no podía pronunciar las palabras adecuadas, pero cada vez que lo hacía lo hacía en su propio idioma, su "habla de bebé", como lo llamábamos entonces.

Recuerdo orar por ella todos los días y pedirle al Espíritu Santo cuándo llegaría su momento para finalmente poder comunicarse correctamente. Pronto iban a ir al jardín de infantes y me preguntaba cómo se las arreglaría ella.

Un día, serían unas semanas atrás, estaba planchando ropa y pensando en ella. Su retraso en el habla nunca fue una gran preocupación para nosotros y, de hecho, lo encontramos muy entrañable. Conocía a mi Dios, y sabía que Él la ayudaría a superar esto en cualquier momento. Sin embargo, en este momento, estaba preocupada porque se acercaba el momento de comenzar la escuela y no quería que se atrasara en sus estudios. De repente escuché al Espíritu decirme: "*Ella es como una flecha en las manos de un guerrero, nunca llegará tarde y llegará a su destino a tiempo; ¡No serás decepcionada!*"

"Gracias, Señor", respondí. Luego, cuando fui a abrir mi Biblia, me dirigió a este versículo,

> *"Los hijos que nos nacen son ricas bendiciones del Señor.*
> *Los hijos que nos nacen en la juventud son como flechas*
> *en manos de un guerrero. ¡Feliz el hombre que tiene*

muchas flechas como esas! No será avergonzado por sus enemigos cuando se defienda de ellos ante los jueces."

(Salmos 127:3-5 DHH94PC)

¡Qué alegría que el Señor me hubiera confirmado según su Palabra! Bueno, volviendo al día que estábamos orando, cuando fue el turno de Christie, ella se detuvo por un momento y giró su cabecita como si alguien le estuviera hablando. La miré. En ese momento, ella dijo en perfecto inglés y sin ningún impedimento: *"Mami, el Señor me dice que te diga que sí, Él te llamó y sí, que Él quiere que lo sigas".*

La presencia de Dios era tan grande en ese cuarto que cuando Cristina empezó a hablar, me sentí caer sobre sus sábanas. ¡Su presencia era tan tangible que no podía moverme! ¡Mi niña había hablado y Dios me había escuchado! ¡Él hizo este milagro por mí!

¿Puedes creer que Dios estaba presente en mi trabajo mientras yo hablaba? Dios siempre escuchaba nuestras conversaciones. Y para mi niña, que no podía hablar, en un momento divino, ¿cómo pudo darme esa profecía? Dios siempre nos habla. Alabado sea Dios Todopoderoso. ¡Gloria a Su santo nombre! Él nunca llega tarde. Dios nunca olvida Sus promesas. ¡Espéralo porque Él no llega tarde!

Capítulo 34

Viviras En Mi

"Así que, hermanos, os ruego por las misericordias de Dios, que presentéis vuestros cuerpos en sacrificio vivo, santo, agradable a Dios, que es vuestro culto racional. No os conforméis a este siglo, sino transformaos por medio de la renovación de vuestro entendimiento, para que comprobéis cuál sea la buena voluntad de Dios, agradable y perfecta. Digo, pues, por la gracia que me es dada, a cada cual que está entre vosotros, que no tenga más alto concepto de sí que el que debe tener, sino que piense de sí con cordura, conforme a la medida de fe que Dios repartió a cada uno."

(Romanos 12:1-3 RVR1960)

¿Qué quiere Dios para ti? Él quiere que tu vida interior esté despierta en todo momento, para recibir alimento espiritual a través de Su Palabra, intimidad con Él, oración, adoración y alabanza. Dios quiere darte la vida para que puedas comunicarte con Él, para que le hables todo el día con la boca y con el corazón. De tu espíritu a Su Espíritu y viceversa.

Al mismo tiempo, tienes que dar una transformación a tu vida exterior. Dios quiere que cuando la gente pase junto a ti, lo vean en ti y sientan Su presencia. El deseo de Dios es que vengas a Él tal como eres, con todos tus defectos y debilidades. El te ama y quiere transformarte para que seas como Él. Para que puedas apreciar lo que es verdaderamente bueno, lo que le agrada a Él, lo que es perfecto.

Cuando tu corazón está puesto en Dios, tus ojos reflejan Su luz. Recuerdo cuando conocí al Señor, solo pensaba en Él y hablaba con Él casi todo el tiempo; mientras conducía mi auto, mientras trabajaba, mientras limpiaba los trastes, cuando fuese. Cuando le di mi vida a Jesús, Él me poseyó. Es como cuando los niños pequeños que tienen un amigo imaginario, pero esta vez, Jesús era y es más real que yo.

Tengo la televisión en el canal cristiano todo el tiempo y me encanta ir a la casa de Dios. Cuando estoy en el auto, canto alabanzas y hablo con Él. Recuerdo que una tarde, una amiga mía llamada María pasó unos minutos para despedirse antes de viajar de regreso a su casa en otro pueblo. Recuerdo cómo me miró a los ojos con curiosidad y me dijo: "*Tus ojos brillan de una manera especial; ¡Nunca los había visto tan azules y tan brillantes!*

> *Y con una sonrisa le respondí: "No sé de lo que hablas, pero si quieres saber, es que conocí a Jesús, ¡y estoy enamorada!".*
>
> *Ella se asombró y respondió: "Quiero lo que tienes; ¡tengo que conocerlo!"*

En ese momento, me quedé en silencio. Ella ya se estaba yendo, y me acababa de despedir de ella. Pasaron unos días y estaba en la librería cristiana y escuché en voz alta cuando el Señor me dijo: "*Cómprale una Biblia a tu amiga María*". No podía creer lo que estaba escuchando. Y el Señor me repitió lo mismo, y yo le respondí: "*¡No, Señor! No creo que ella esté interesada.* Lo que realmente pensé fue que ella se reiría de mí.

Y el Señor me respondió: *"Cómprale una Biblia blanca y mándale a imprimir su nombre y mándasela"*. Y así lo hice.

Pasaron los días, y un día estaba limpiando mi habitación. Había puesto la Biblia que había comprado encima de otros libros y en realidad me olvidé que era para enviársela a Maria. Tal vez no pensé que a ella le importaba buscar al Señor como a mí. Ella era católica y no quería que pensara que quería influenciarla o cambiar su religión. ¡Cuántos de nosotros pensamos de esa manera! Por miedo, no nos atrevemos a contarles a otros sobre nuestras experiencias con Jesús. La verdad detrás de esta acción es que no queremos compartir Su amor con otros. Realmente nos amamos a nosotros mismos más de lo que amamos a los demás.

Sucedió que vi esa Biblia entre mis libros. Dios nunca me ha hablado con más severidad que esta vez. Sentí la seriedad y la urgencia en Su voz cuando dijo: "*¿No te dije que le enviaras la Biblia a tu amiga María?*". Estaba avergonzada por no haber obedecido la primera vez. Me apresuré a recoger la Biblia, me subí a mi carro y fui a la oficina de correos para enviarla. Lo que no hice fue enviarlo por entrega especial; Lo envié por correo ordinario. ¡Qué desobediente fui! ¡Gracias a Dios por su misericordia para conmigo!

Esto pasó hace muchos años, y ya no soy la misma. Obedecer a Dios tiene que estar en sintonía con escucharlo. "*Escuchar es obedecer*", eso es lo que aprendí hace mucho tiempo leyendo a C.S. Lewis. ¿Qué pensarías si te dijera que el paquete con la Biblia llegó al día siguiente? Me llamó por teléfono y me dijo: "*¡Tengo la Biblia! Hoy cuando fui a abrir la puerta y vi un paquete tuyo, supe que era una Biblia. Lo tomé en mis manos y comencé a temblar de tal manera que tuve que sentarme. ¡Gracias por la Biblia y gracias por imprimir mi nombre en ella!*".

Le confesé que era un regalo de Dios para ella y que fue Su idea imprimir su nombre en la Biblia. Y le profeticé: "*Así dice el Señor nuestro Dios, así como he grabado tu nombre en esta Biblia, te he grabado en las palmas de mis manos*" (ver Isaías 49:16). Este fue el dulce comienzo de su relación con Dios.

Qué hermoso que ella vio a Dios en mis ojos y fue transformada. Y qué hermoso es dejar ver a los demás, como en un espejo, la imagen de Dios en nosotros. ¿Puede haber algo más maravilloso que vivir en Cristo y que Cristo viva en ti? ¡Nada!

Capítulo 35

Te Daré Una Nueva Vida

"Pero María estaba fuera llorando junto al sepulcro; y mientras lloraba, se inclinó para mirar dentro del sepulcro; y vio a dos ángeles con vestiduras blancas, que estaban sentados el uno a la cabecera, y el otro a los pies, donde el cuerpo de Jesús había sido puesto. Y le dijeron: Mujer, ¿por qué lloras? Les dijo: Porque se han llevado a mi Señor, y no sé dónde le han puesto. Cuando había dicho esto, se volvió, y vio a Jesús que estaba allí; mas no sabía que era Jesús. Jesús le dijo: Mujer, ¿por qué lloras? ¿A quién buscas? Ella, pensando que era el hortelano, le dijo: Señor, si tú lo has llevado, dime dónde lo has puesto, y yo lo llevaré. Jesús le dijo: ¡María!

Volviéndose ella, le dijo: ¡Raboni! (que quiere decir, Maestro)."

(Juan 20:11-16 RVR1960)

Este es el momento en la historia donde Jesús lo cambió todo. En este instante, trascendió la barrera del tiempo tal como la conocemos. El pasado, el presente y el futuro se hicieron uno en Cristo Jesús. Los agnósticos insisten en que este evento, este momento, nunca sucedió. Pero hay mucha evidencia histórica, y sabemos que Jesús resucitó al tercer día en Su carne y Su Espíritu y, al mismo tiempo, nos dio a nosotros la oportunidad de resucitar con Él a la vida eterna. Es decir, Jesús nos dio Su vida eterna. Él es la vida eterna. Él se entregó por nosotros. ¡Jesucristo trajo la eternidad a la tierra! ¡Vivimos porque Él vive!

La celebración del día de la resurrección habla de cuando Jesucristo hizo posible la eternidad para todo hombre que decide creer. Podemos ver en el capítulo 20 de Juan a María Magdalena yendo a la tumba de Jesús y encontrando a Jesús resucitado. Ver el milagro de Su resurrección es un testimonio que no podemos negar. Esto no se puede decir ni de Buda, ni de Mahoma, ni de ningún otro hombre en la historia. La muerte no pudo detenerlo. ¡Jesús vive! Eso hace que el cristianismo sea único y preciso.

Desde Su resurrección, nada lo puede confinar; nada puede contenerlo. Nada puede limitarlo, ni la muerte, ni el tiempo, ni el espacio, ni nada más. No sólo eso, el Señor Jesús ascendió a los cielos y fue exaltado por Dios hasta lo más alto, sentado en los cielos a la diestra del Padre,

> *"la cual operó en Cristo, resucitándole de los muertos y sentándole a su diestra en los lugares celestiales, sobre todo principado y autoridad y poder y señorío, y sobre todo nombre que se nombra, no solo en este siglo, sino también en el venidero;"*
>
> *(Efesios 1:20-21 RVR1960)*

En consecuencia, Cristo resucitado trasciende a todos. Hoy, el Señor nos está guiando, a través de Su Espíritu; por un lado, a la santidad, a ser más como Él, y por otro lado, a tener el poder de resurrección como Él lo tiene. Solo tenemos que entregarnos a Él, haciendo como Jesucristo, perdonando como Él nos perdonó, sanando como Él nos sanó, haciendo milagros como Él. Caminamos bajo cielos abiertos.

Nuestro nuevo nacimiento nos dio la vida de Jesús resucitado para vivir como Su cuerpo, Su iglesia, en la tierra hasta que Él regrese. Tenemos que vivir como vivió Jesús, amar como Jesús nos amó. Y así como Jesús resucitó, resucitaremos con Él en

Su Gloria en Su regreso. Esta es nuestra esperanza y nuestra fe. ¿Te imaginas a Jesús diciéndole a la muerte?

> *"¿Dónde está, oh muerte, tu aguijón? ¿Dónde, oh sepulcro, tu victoria?"*
>
> *(1 Corintios 15:55 RVR1960)*

¡Oh, mi Dios maravilloso! ¡Gloria a Dios Padre por su plan perfecto! Jesús victorioso nos dio su victoria. No hay nada que temer. Jesús ha vencido; ¡Jesús ha resucitado! ¡Jesús está vivo! Y nosotros vivimos porque Él vive. ¡Aleluya! ¡Gloria a Dios!

Capítulo 36

No Tengas Miedo

"Jehová es mi luz y mi salvación; ¿de quién temeré? Jehová es la fortaleza de mi vida; ¿de quién he de atemorizarme?"

(Salmos 27:1 RVR1960)

El miedo es un espíritu. Primero, el enemigo de nuestras almas nos envía este espíritu para paralizarnos. Una vez paralizados, entonces viene la enfermedad y nos ataca, y somos incapaces de resistirla. Para poder resistirlo, tenemos que tener presente la Palabra de Dios en todo momento. Tenemos que aprender a caminar en la tierra al mismo tiempo que caminamos en los lugares celestiales. ¡Porque tenemos doble ciudadanía!

Particularmente este versículo me conmueve, ¡y todavía lo hace! No soy inmune a los ataques del diablo. Recuerdo un día entre muchos en que el miedo me ató tan fuerte que no podía ni pensar. Me dolía el pecho y no podía respirar. El pavor me sacudió. Cuando llegamos a la sala de emergencias, y después de muchas pruebas, me diagnosticaron un coágulo en el pulmón. ¿Como puede ser? Mi salud no era la mejor, recientemente había tenido una operación dolorosa y me sentía débil, física y espiritualmente. Inmediatamente dentro de mí ocurría una lucha diaria contra el enemigo. El primer enemigo fue el miedo, esa ansiedad y la incertidumbre de no saber el futuro. Había momentos en los que me sentí realmente atormentada. Todo el tiempo pensaba que esto era algo que no esperaba que sucediera, y sucedió. Todo esto era una indicación de que el enemigo me había pasado. El no poder conocer un futuro tan incierto y con esta vida llena de obstáculos y enfermedades me obligó a apartar la mirada de mi enfermedad y volverla a Dios.

Empecé a caminar con fe de nuevo. Te digo esto porque cuando nos enfermamos lo primero que nos ataca es el miedo, luego los espíritus detrás de la enfermedad logran hacernos estragos. La fe es caminar, confiar en que Dios te lleva de la mano y no te suelta. Es saber que tienes bajo tus pies una teja tras otra, sujetando tu propio paso, sin verlo, y sientes que caminas en el aire. La fe es confianza en lo que no se ve. En ese momento sentí que el enemigo me había alcanzado después de haber superado tantos obstáculos en mi vida. Parecía que el enemigo nunca se cansaba.

La EP o la embolia pulmonar puede convertirse rápidamente en un enemigo fatal. Si el coágulo va al corazón, fácilmente se convierte en una daga. Si va a tu cerebro, se convierte en un derrame cerebral y puede convertirse en un arma fatal, especialmente para mí, que ya había sufrido uno y me había costado años recuperarme.

En 2008, cuando sufrí un derrame cerebral, éste me privó de todo lo que me gustaba hacer: hablar, pensar, comprender, recordar, escribir, caminar, enseñar, predicar y servir a los demás. ¿Te preguntas cómo me pudo pasar esto? ¿No eres una mujer de fe? ¿No caminas con el Espíritu? O por qué no una mejor pregunta, ¿por qué no yo?

Dios no nos prometió una vida libre de problemas, pero si nos dio los instrumentos para superarlos. El enemigo anda como león rugiente buscando a quien devorar. Ahora, esta vez con la noticia de una embolia pulmonar, no me iba a quedar ahí. Decidí que ya no sentiría ningún miedo ni tormento. Si estás en el Espíritu, anda en el Espíritu (Gálatas 5:25); este es mi lema. Ciertamente no iba a permitir que el enemigo de mi alma me robara la vida nuevamente. Dios me llamó para apacentar a Sus ovejas, y no dejaría esta tierra hasta que hubiera completado mi trabajo.

> *"En el amor no hay temor, sino que el perfecto amor echa fuera el temor; porque el temor lleva en sí castigo. De donde el que teme, no ha sido perfeccionado en el amor."*
>
> *(1 Juan 4:18 RVR1960)*

Regresé a buscar mi Biblia y leí las promesas de mi Señor para mi sanidad. Empecé a meditar y confesar Su Palabra. También comencé a leer los muchos libros que ya había leído y que siempre me traían paz y consuelo. Todo esto puso ruedas a mi fe. El amor de Dios comenzó a llenarme nuevamente y a desechar mis temores. ¿Por qué tendría que volver a leer y meditar en las promesas de Dios? ¿No los conocía ya? Porque es fácil de olvidar y difícil de recordar, sobre todo después de haber pasado por un derrame cerebral, donde se ve afectado todo el sistema cognitivo. ¡Es que la Palabra, al meditarla y ponerla en tu corazón y en tu espíritu (tu subconsciente), nunca se olvida! Solo necesitas recordarle a tu alma y activar tu espíritu con la Palabra de Dios. Es como volver a nacer una y otra vez y aprender poco a poco lo que fue parte de mi vida diaria. Gracias a Dios por su fidelidad.

Doy gracias y bendigo a las personas que no solo me aseguraron que orarían por mí sino que también lo hicieron fielmente para que pudiera salir del túnel oscuro en el que me encontraba ese día. Doy gracias a todos los que oraron y se arrodillaron por mí para que mi fe no me fallara. Oré mucho y confesé las promesas de Dios, que estaban en mi corazón. Al final, pude conquistar ese émbolo.

Yo sé en quién he creído (2 Timoteo 1:12). Mi Señor nunca me falla, y mi confianza en Él siempre crece, sin importar mi debilidad. Crece como una llama hasta convertirse en una luz y una verdad dentro de mí que me da vida. Esa luz hace desaparecer toda oscuridad. Y eso es todo lo que necesitamos, nuestra fe y nuestra confianza en nuestro Señor. No tengas miedo.

Bendigo, en el nombre de Jesús, a todas aquellas personas y en especial a mi familia, que se arrodillaron ante Dios por mi vida y por mi fe. Nunca dejemos de orar. Oremos los unos por los otros, especialmente por los enfermos, sin miedo. Verás cómo Dios los levantará. *¡La oración eficaz y ferviente de los justos puede hacer mucho!* (Santiago 5:16). Mi Dios siempre tiene la última palabra. Recuerda que con Él, estarás a salvo. Mi Dios es el único Dios, el gran Yo Soy. Él es mi sanador y siempre lo será, fielmente, por toda la eternidad. Si confío en el Señor y Su Palabra, estaré a salvo.

Capítulo 37

Mi Luz Te Guiará Todos Los Días

"Pero el hombre natural no percibe las cosas que son del Espíritu de Dios, porque para él son locura, y no las puede entender, porque se han de discernir espiritualmente. En cambio el espiritual juzga todas las cosas; pero él no es juzgado de nadie. Porque ¿quién conoció la mente del Señor?

¿Quién le instruirá? Mas nosotros tenemos la mente de Cristo."

(1 Corintios 2:14-16 RVR1960)

Solo los espirituales son los que pueden entender las cosas del Espíritu. Para que podamos entender lo espiritual, como es la Palabra de Dios, hay que estar llenos del Espíritu Santo. Tienes que tener la sabiduría que viene de lo alto. Muchos tienden a mencionar al Espíritu Santo solo cuando hacen la señal de la cruz, pero no todos lo conocen personalmente ni lo tienen en sus vidas. Si recibiste a Jesús como tu Salvador, ya tienes la mente de Cristo. El Espíritu de Cristo está unido a tu propio espíritu. Eres un vaso santificado listo para recibir el Espíritu Santo dentro de ti. Necesitas Su Espíritu Santo si quieres poder leer la Biblia y entender no solo las palabras sino si quieres entender las cosas profundas de Dios, las cosas que son espirituales y vienen solo por revelación.

"Y nosotros no hemos recibido el espíritu del mundo, sino el Espíritu que viene de Dios, para que entendamos las cosas que Dios en su bondad nos ha dado. Hablamos de estas cosas con palabras que el Espíritu de Dios nos ha enseñado, y no con palabras que hayamos aprendido por nuestra propia sabiduría. Así explicamos las cosas espirituales con términos espirituales."

(1 Corintios 2:12-13 DHH94PC)

El Espíritu que viene de Dios es el que nos ha sido dado para que podamos entender lo que Dios tiene para nosotros. Cuando acepté a Jesús como mi Salvador, quería todo lo que Dios me estaba ofreciendo y más. Hubo muchas veces que sentí el Espíritu conmigo, pero al estudiar la Biblia, entonces comencé a entender lo que Dios me estaba diciendo.

Incluso recuerdo en la escuela del ministerio que mientras escuchaba al profesor, el Espíritu Santo me estaba enseñando al oído al mismo tiempo. Él sabía que era mi verdadero maestro. Tenía dos cuadernos, uno para la clase y otro para el Espíritu Santo. Una vez recuerdo haberle dicho: "*¡Por favor, Espíritu Santo, disminuye un poco la velocidad! Vas demasiado rápido para mí.*" Amando al Señor como lo amaba, nunca nada fue suficiente para mí.

"No me he apartado de tus decretos porque tú eres quien me enseña. Tu promesa es más dulce a mi paladar que la miel a mi boca. De tus preceptos he sacado entendimiento; por eso odio toda conducta falsa. Tu palabra es una lámpara a mis pies y una luz en mi camino."

(Salmos 119:102-105 DHH94PC)

En cualquier circunstancia de mi vida, le doy preeminencia a la Palabra del Señor. Cuanto más maduraba en el Espíritu, más entendimiento recibía de Su Palabra. Abría mi Biblia con cualquier pregunta y, de alguna manera, sabía que Él me estaba hablando a través de Su Palabra. Obtenía instrucción, dirección, corrección y convicción. Sí, el Señor me habla a través de Su Palabra. Su Palabra es lámpara a mis pies y luz a mi camino (Salmo 119:105). Busco Su Palabra para darme luz y saber a dónde voy.

Hace apenas unas semanas que salíamos de la casa de mi hija. Mientras mi esposo conducía, algo hizo que alcanzara mi bolso y tomara mi teléfono. Ya estaba encendido, y estaba en un versículo de la Biblia que decía:

> *"Mira que te mando que te esfuerces y seas valiente; no temas ni desmayes, porque Jehová tu Dios estará contigo en dondequiera que vayas."*
>
> *(Josué 1:9 RVR1960)*

Sentí una sensación inmediata de peligro que me vino encima. El Señor me estaba advirtiendo que no tuviera miedo, que fuera fuerte y que no desmayara. Aunque sentí el peligro, sentí paz sabiendo que el Señor ya me estaba diciendo que no desmayara.

Ya el Señor había estado en mi futuro y había visto el desenlace. ¡No debería tener miedo! ¡Aleluya!

Cuando llegamos a casa, sonó el teléfono y era mi yerno. Me dijo que mi hija acababa de desmayarse, que estaba en el suelo hablando algo que él no entendía. Mi pequeño nieto estaba histérico y llorando. Me preguntó si podíamos volver a su casa. Recuerdo la Palabra que el Señor me dio y confié en ella. Sabía que todo iba a estar bien. Inmediatamente regresamos a su casa. Cuando llamé al médico y me dijo que parecía que era un síncope. Mi hija estaba estresada con la noticia de que una amiga estaba enferma y eso la hizo desmayarse. ¡El miedo puede causar estragos en tu vida! Al final del día, ella estaba bien. Como esta experiencia, ¡te podría contar mil más!

Es tan bueno tener una relación personal con el Señor, conocer Su Palabra y saber cuándo Él te habla a través de ella o de cualquier otra forma que Él elija. Qué importante es para mí leer y estar atenta a Su Palabra todos los días, ya sea en la mañana o en cuanto Él me la envía. ¡*Gracias mi Señor!*

Capítulo 38

Terminaré Mi Obra En Ti

"estando persuadido de esto, que el que comenzó en vosotros la buena obra, la perfeccionará hasta el día de Jesucristo;"
(Filipenses 1:6 RVR1960)

La obra que Dios comienza en ti, Él mismo la completa. Recuerdo cuando estaba estudiando para la maestría en Consejería Cristiana. Ya había terminado la carrera, pero la directora de la universidad se había reunido con la facultad y me dieron la noticia de que iba a ser ordenada para el trabajo que Dios me había llamado a hacer. ¡Estaba tan contenta de que ella hubiera discernido mi llamado!

Como parte de la ordenación, tuve que viajar a Jacksonville para predicar cuatro domingos consecutivos frente a la facultad. Antes de mi ordenación, mis padres viajaron para estar presentes en esta importante ceremonia. Recuerdo que la noche anterior a mi ordenación, mientras nos hospedábamos en una habitación de hotel, cerca del amanecer, me desperté sin poder respirar. Tuve lo que parecía ser un ataque de asma repentino. Entré en pánico inmediatamente, primero porque Jesús ya me había sanado, y yo le creí. Segundo, ¿qué dirían mis padres? ¿Qué diría la escuela si no me presentaba? Simplemente no podía enfermarme y no ir a la ceremonia de ordenación.

Me levanté de la cama con mucha dificultad para que mis pulmones recibieran aire. Fui al baño en silencio y cerré la puerta. Empecé a hablar con el Espíritu Santo, quien me había guiado hasta ese momento, y yo sin embargo no podía respirar. No tenía inhaladores ni medicamentos conmigo, así que no tenía nada natural que me ayudara. Sintiéndome desesperada, clamé, pidiéndole al Señor que me ayudara.

En ese momento se abrieron los cielos y tuve una visión abierta del Señor en una barca. Estaba durmiendo mientras sus discípulos estaban en pánico porque había una gran tormenta. Cuando lo despertaron, Jesús los reprendió y les preguntó: "¿Dónde está vuestra fe?". Y reprendió al viento, y sobrevino una gran calma. Los discípulos estaban asombrados por la fe de Jesucristo (véase Lucas 8:23–25).

Después de la visión, Jesús me preguntó: "*¿Dónde está tu fe*?" E inmediatamente comprendí que tenía que reprender al asma, la cual estaba tratando de arruinar mi ordenación. Satanás es un ladrón que viene para hurtar, matar y destruir (Juan 10:10). No quería que me ordenara y quería destruir mi testimonio. Me levanté y con mucha autoridad ordené que se me fuera el asma. Inmediatamente, mis pulmones se abrieron y pude respirar fácilmente de nuevo.

Toda esta ordenación era el plan de Dios en mi vida. Nada ni nadie podría haberme detenido a menos que hubiera creído al maligno. Porque era parte de Su plan para mí, Jesús obró en mi vida y perfeccionó la obra que había comenzado. Y porque creemos al Padre, amamos su Palabra y nos mantenemos firmes en sus promesas y en su verdad. Pude ver que la obra que Jesús comienza, Él mismo la termina. No temáis; Jesús ya ha vencido al enemigo de nuestras almas. ¡Ha vencido! La obra que Jesús comenzó en nuestras vidas, Él mismo la perfeccionará hasta el día de su regreso. ¡De eso estoy segura!

Capítulo 39

Te Amaré Libremente

"El que no escatimó ni a su propio Hijo, sino que lo entregó por todos nosotros, ¿cómo no nos dará también con él todas las cosas?"

(Romanos 8:32 RVR1960)

"De manera que de quien quiere, tiene misericordia, y al que quiere endurecer, endurece."

(Romanos 9:18 RVR1960)

"Y si por gracia, ya no es por obras; de otra manera la gracia ya no es gracia. Y si por obras, ya no es gracia; de otra manera la obra ya no es obra."

(Romanos 11:6 RVR1960)

Recuerdo en los primeros años de mi vida pastoral; estaba aprendiendo cómo el Espíritu Santo se movía en la congregación. Me habían invitado a predicar en una iglesia y les estaba hablando sobre el amor de Dios y cuánto Dios los amaba. ¡La presencia de Dios era tan real! Mientras estaba enseñando, sucedió algo extraño. Varias personas comenzaron a interrumpirme. Esto fue muy inusual.

Un hombre se puso de pie y dijo: "*Mientras predicabas, sentí que el Señor me tocaba y ahora puedo mover la mano. ¡No podía moverlo antes debido a la artritis!*" Un pensamiento cruzó mi mente. Pensé que mi esposo estaba en casa enfermo de artritis y el Señor aún no lo había sanado. Eso me hizo escéptica cuando escuché este testimonio. Un pensamiento realmente egoísta, pero era cierto. Estaba un poco confundida.

Luego, otra persona se levantó, luego otra, y al final, se convirtió en un servicio de sanación. Al principio me silenciaron, pero luego me impresionó cómo había cambiado el servicio. No estaba predicando sobre sanidad sino sobre cuánto Dios los amaba. Se podría decir que no había sido pastora por mucho tiempo. yo era una novata; Yo era una pastora joven.

Muchas veces he pensado en este servicio especial. Era en el comienzo de mi ministerio. Lo más importante que aprendí es cómo Dios se mueve cuando el amor es la atmósfera. Dios es amor. Si no hay amor en mi predicación, entonces no hay Dios en mi predicación. Me siento triste porque tuve ese pensamiento en ese momento. En lugar de estar feliz por ellos, pensé en mis propias necesidades y me sentí avergonzada. Me sentía con derecho, pero Dios no me debe nada. No le debe nada a nadie. Todo es por Gracia. Es gratis. Dios da y ama porque nos ama. Dios ama tanto a su pueblo que dio a su único Hijo para que muriera por nosotros.

> *"Mas Dios muestra su amor para con nosotros, en que siendo aún pecadores, Cristo murió por nosotros."*
>
> *(Romanos 5:8 RVR1960)*

> *"Dios mostró su amor hacia nosotros al enviar a su Hijo único al mundo para que tengamos vida por él. El amor consiste en esto: no en que nosotros hayamos amado a Dios, sino en que él nos amó a nosotros y envió a su Hijo, para que, ofreciéndose en sacrificio, nuestros pecados quedaran perdonados."*
>
> *(1 Juan 4:9-10 DHH94PC)*

"Mirad cuál amor nos ha dado el Padre, para que seamos llamados hijos de Dios; por esto el mundo no nos conoce, porque no le conoció a él."

(1 Juan 3:1 RVR1960)

¿Cuánto nos ama Dios para llamarnos sus hijos? Es mejor que lo creas. En esta vida terrenal, estamos capacitados para hacer cosas para complacer a las personas. A la mayoría de nosotros se nos ha enseñado a estudiar, a trabajar duro, a convertirnos en algo, a ganar dinero para mantener nuestro hogar y nuestros hijos. No trabajamos de gratis. Para recibir promociones, tenemos que trabajar con éxito y, por lo general, sobresalir entre la multitud. Hacemos todo lo posible para impresionar a la gente.

Pero a Dios no lo puedes impresionar, quien es Espíritu, con tu forma de ser, con lo que tienes, con largas jornadas de trabajo, con tus buenas notas, con tus logros, o con buenas acciones. No es impresionante lo mucho que sirves ayudando en la iglesia o en el ministerio. Incluso Dios no está impresionado con lo que le das... Sí, con lo que le das en tu iglesia. Dios, que no escatimó ni a su propio Hijo, sino que lo entregó por todos nosotros, ¿cómo no nos va a dar también a nosotros todas las cosas?

Dios es Espíritu, y Él es de un mundo espiritual. En tiempos pasados, después de que comenzó la iglesia organizada, llegó un momento en que la gente pagaba para recibir el perdón de Dios, para recibir el favor de la iglesia, para ganar honor y poder. Cuanto más daban, más creían que Dios tenía que honrarlos y deberles. ¡Qué engaño! No podemos comprar o halagar a Dios con todas nuestras buenas obras.

¿Qué significa entonces? ¿Tenemos que portarnos mal para que Dios nos ame? ¡Absolutamente no! Cuando venimos a Dios, aceptamos a Jesús en nuestro corazón y somos bautizados con el Espíritu Santo, recibimos Su vida y Su poder. Somos participantes de la nueva vida en Cristo que es de Dios y es para Dios. Las obras que hacemos tienen que venir de ese espíritu renovado; tienen que ser puros como Dios es puro. Nosotros debemos ser movidos por su compasión y amor, como Dios es amor. Tenemos que sentir misericordia por aquellos que no lo conocen porque El es misericordia. Tenemos que movernos en Su sabiduría porque Dios es sabio; El sabe todo. Tenemos que ser humildes porque Dios es humilde y servicial. Somos espiritualmente renovados para ser como Dios es. Entonces tenemos que caminar como Jesús caminó. Si estás en el Espíritu, camina en el Espíritu, ayudando y sanando a los que no conocen a Dios.

Las multitudes vinieron a Jesús porque vieron a Dios en él. Así que tiene que ser con nosotros. Las personas que no conocen a Dios vienen a ti porque quieren ver a Dios, porque quieren sentir el amor de Dios, porque necesitan que Dios los sane. No por el puesto que ocupas, ni por lo mucho que tienes, ni por cómo te ves.

Jesús es Dios hecho hombre. Hizo lo que nosotros no pudimos hacer con nuestras obras. Derrotó al diablo en la cruz, algo que nosotros no podíamos hacer. No lo merecemos. No importa quién eres. Esa es la Gracia de Dios. Esa es la puerta que Dios ha abierto para que entremos. Es permiso para hacer lo que realmente agrada a Dios. Dios nos mueve. Él nos dio en Cristo permiso para amar, sanar, orar e interceder, y perdonar a nuestro prójimo. Si tienes el Espíritu Santo en ti, tienes el poder, el permiso y la Gracia de Dios para hacer lo imposible. Tú puedes hacer obras más grandes que las que hizo Jesús. Tienes el poder de Dios para hacer lo sobrenatural. Además, tienes permiso para caminar y hablar con Dios, tu Padre, cara a cara. Este permiso, esta Gracia, viene de Dios. Es un privilegio; es un regalo. No es algo obtenido por nuestras obras. No puedes hacer nada para torcer el brazo de Dios. Dios nos ama tanto que quiere bendecirnos, perdonarnos y sanarnos. Dios quiere ser parte de nuestras vidas.

Tal vez pensé que era especial porque Dios me había llamado a ser pastora. Tal vez pensé que después de estudiar mis días y mis noches con Él, merecía Su favor. Nunca fui altiva, grosera o mala con nadie. Simplemente amaba a la gente y me alegraba de que Dios se manifestara en ellos. Pero dentro de mí, eso fue lo que pensé en ese momento; era mi arrogancia de principiante. ¿Por qué no yo? Porque mientras creas que lo mereces, no recibirás nada de Dios. ¡No somos dignos de nada!

No nos engañemos. Dios es Dios. Él hace lo que le place hacer por los demás. Para amarlos, perdonarlos y sanarlos. Esa es la naturaleza de Dios, y Él no cambia. No se equivoquen, Dios nos da todo, pero siempre es por Su amor y por Gracia. Nadie puede presumir. No podemos hacer nada ni lograrlo a menos que Él lo haga. Dios no nos debe nada; Le debemos todo a Él.

CAPÍTULO 40

Todo Lo Que Eres Y Todo Lo Que Haces Será Para Mi

"Y todo lo que hagáis, hacedlo de corazón, como para el Señor y no para los hombres; sabiendo que del Señor recibiréis la recompensa de la herencia, porque a Cristo el Señor servís. Mas el que hace injusticia, recibirá la injusticia que hiciere, porque no hay acepción de personas."

(Colosenses 3:23-25 RVR1960)

Mantener nuestros ojos siempre en Cristo es la única manera de agradar a Dios. Decimos que es la fe lo que agrada a Dios, pero es la fe en Dios lo que verdaderamente le agrada. Donde tenemos la mirada es lo que determina el rumbo de nuestra vida. Mantenernos mirando a Cristo siempre nos dirige al trono de la Gracia.

Podemos servir a los demás con todas nuestras fuerzas, pero si no tenemos los ojos puestos en Cristo, estamos en el camino equivocado. Debemos servir a los demás como si estuviéramos sirviendo a Cristo nuestro Señor. Hacemos todo por Él, y lo hacemos para Él. Servir es amor en acción. Si decimos que lo amamos, entonces lo serviremos con nuestro corazón.

Puedes decirle a Dios: *"Te amo con todo mi corazón"*, pero si no sirves a tu prójimo, entonces eres un mentiroso. Tienes que ver a Cristo en todos. Hay que hacerlo con amor y sin quejarse, como si fueran nuestro Señor. ¿Quizás cuando sirves, puedes ver una recompensa, o es que crees que no hay recompensa en servir? Pero Dios, que mira los corazones, sabe todas las cosas. Recompensará a quien, sin mirar el costo, sirva con amor en su corazón como si fuera a Él.

Este es un tema difícil de recibir. ¡De lo que recibes es lo que das! Si recibes amor de Dios, amor de Dios das. Si no das o sirves amor, es porque no has sabido recibir el amor de Dios. Hay una diferencia. Tienes que estar conectado con Dios; tus ojos fijos sólo en Él. Verás cómo aprendes a ver a Jesús en todos los que te rodean, y correrás a servirle. Pidamos discernimiento para saber discernir el cuerpo de Cristo.

Déjame ir un poco más lejos. Solo cuando tomas la decisión de encontrar a Cristo en las personas, encontrarás a Cristo en las personas. Déjame explicarte cómo Dios me explicó esto. ¿Recuerdas la historia de mi pastor cargando un corazón en forma de corazón mientras caminaba en el púlpito? El Espíritu Santo me enseñó una verdad muy especial. Mientras mi pastor tenía sus ojos en Cristo, reflejaba a Cristo. Mi corazón se convierte entonces en un espejo que refleja lo que ven mis ojos. Entonces es verdad que los ojos son las ventanas del corazón. Si mantengo mis ojos en el Señor, Su Espíritu permanece en mí. La presencia de Su Espíritu toca nuestro espíritu. Su Espíritu dentro de mí llama al espíritu de los elegidos por Dios desde la fundación del mundo.

> *"Un abismo llama a otro a la voz de tus cascadas; Todas tus ondas y tus olas han pasado sobre mí."*
>
> *(Salmos 42:7 RVR1960)*

¡Somos tocados por Su Espíritu! La Gloria de Dios viene y nos llena. Nos convertimos en el cuerpo manifestado de Cristo. Aunque es muy importante que asistamos a la iglesia, Dios quiere que reflejemos a Cristo dondequiera que estemos. Y sólo manteniendo la mirada en Dios, en las cosas del cielo, en Jesús mismo, podemos reflexionar y ver a Cristo en los demás. El Espíritu fluye libre y naturalmente porque estamos discerniendo Su cuerpo. Dios nos recompensa cuando damos lo que recibimos gratuitamente de Él. Ese es el fluir de Su gracia; gratuitamente recibimos, gratuitamente damos.

En el Libro de Lucas Capítulo 7, vemos la historia de la mujer con el aceite de alabastro.

> *"Entonces una mujer de la ciudad, que era pecadora, al saber que Jesús estaba a la mesa en casa del fariseo, trajo un frasco de alabastro con perfume; y estando detrás de él a sus pies, llorando, comenzó a regar con lágrimas sus pies, y los enjugaba con sus cabellos; y besaba sus pies, y los ungía con el perfume. Cuando vio esto el fariseo que le había convidado, dijo para sí: Este, si fuera profeta, conocería quién y qué clase de mujer es la que le toca, que es pecadora. Entonces respondiendo Jesús, le dijo: Simón, una cosa tengo que decirte. Y él le dijo: Di, Maestro.*
>
> *Un acreedor tenía dos deudores: el uno le debía quinientos denarios, y el otro cincuenta; y no teniendo ellos con qué pagar, perdonó a ambos. Di, pues, ¿cuál de ellos le amará más? Respondiendo Simón, dijo: Pienso que aquel a quien perdonó más. Y él le dijo: Rectamente has juzgado. Y vuelto a la mujer, dijo a Simón: ¿Ves esta mujer? Entré en tu casa, y no me diste agua para mis pies; mas esta ha regado mis pies con lágrimas, y los ha enjugado con sus cabellos. No me diste beso; mas esta, desde que entré, no ha cesado de besar mis pies. No ungiste mi cabeza con aceite; mas esta ha ungido con perfume mis pies. Por lo cual te digo que sus muchos pecados le son perdonados, porque amó mucho; mas aquel a quien se le perdona poco, poco ama. Y a ella le dijo: Tus pecados te son perdonados. Y los que estaban juntamente sentados a la mesa, comenzaron a decir entre sí: ¿Quién es este, que también perdona*

pecados? Pero él dijo a la mujer: Tu fe te ha salvado, ve en paz."

(Lucas 7:37-50 RVR1960)

Tan pronto como ella percibió que Jesús era el Cristo, el Salvador, el Mesías, corrió hacia Él, le limpió los pies con sus lágrimas, los secó con sus cabellos y luego derramó sobre ellos un hermoso perfume de alabastro. Ella no pudo evitar ceder al amor que sentía por Él. No pudo contener las lágrimas por el hombre que amaba. No podía evitar servir a Jesús, amarlo, sin importar lo que la gente pudiera haber pensado. Cuando percibes al Señor Jesucristo, no puedes evitar servirlo y amarlo.

Pero no podemos engañarnos a nosotros mismos; Dios no tiene favoritos. Él es imparcial. Si caminas en la carne y haces el mal, recibirás el pago por el mal que has hecho. Si caminamos en el Espíritu y recibimos del amor de Dios, damos de Su amor. Si no recibimos de Dios, ¿qué tenemos para dar? Sólo las obras de nuestra carne, no de nuestro espíritu, y ciertamente, lo que siembres de tu carne, eso segaras.

"Porque el que siembra para su carne, de la carne segará corrupción; mas el que siembra para el Espíritu, del Espíritu segará vida eterna."

(Gálatas 6:8 RVR1960)

Tu servicio es la semilla que siembras. Si siembras para tu carne, solo puedes cosechar corrupción. ¡Si siembras para el Espíritu, cosecharás vida eterna! Siembra a Cristo, sirve a Cristo. Él es tu Señor. Ya sean tus padres, tus hermanos, tus amigos, tus compañeros de trabajo, tu jefe, tu vecino, ten la determinación de encontrar y servir al Cristo en ellos. No sirvan por recompensa, no por satisfacción propia, sino por amor a Dios. Sirváis a Cristo, que es vuestro verdadero Señor. Mantén tus ojos en Cristo. Mirar y buscar a Cristo en los demás. Recuerda,

"Así que, ninguno se gloríe en los hombres; porque todo es vuestro: sea Pablo, sea Apolos, sea Cefas, sea el mundo, sea la vida, sea la muerte, sea lo presente, sea lo por venir, todo es vuestro, y vosotros de Cristo, y Cristo de Dios."

(1 Corintios 3:21-23 RVR1960)

¡Es de Dios, no de ningún hombre, de donde viene tu recompensa!

"Pero ustedes sean valientes y no se desanimen, porque sus trabajos tendrán una recompensa.»"

(2 Crónicas 15:7 DHH94I)

¡Gracias, Dios mío, todo lo hago por Ti y para Ti! Tuyo es el poder y la gloria por los siglos de los siglos, Amén.

Capítulo 41

Tu Corazón Será Humilde

"Humillaos, pues, bajo la poderosa mano de Dios, para que él os exalte cuando fuere tiempo;"

(1 Pedro 5:6 RVR1960)

"'Humíllate'—es un asunto de humildad tocar a la puerta de Dios—tienes que tocar con el ladrón crucificado. 'Al que llama, se le abre'".

—Charles Spurgeon

"Porque por gracia sois salvos por medio de la fe; y esto no de vosotros, pues es don de Dios; no por obras, para que nadie se glorie. Porque somos hechura suya, creados en Cristo Jesús para buenas obras, las cuales Dios preparó de antemano para que anduviésemos en ellas."

(Efesios 2:8-10 RVR1960)

Hay un día en la vida de una madre en el que parece que estás haciendo todo al mismo tiempo. ¡Hablando de hacer multitareas! Después de ocho horas de trabajo a tiempo completo en el hospital, tuve que conducir cuarenta y cinco minutos para ir a buscar a mis gemelas a la sala de cuidados posteriores. Cuando llegué a casa, comenzó el verdadero trabajo.

En este día en particular, estaba cocinando la cena y al mismo tiempo ayudando a mis hijas gemelas con su tarea. Yo recuerdo que tenían unos cuatro años y estaban aprendiendo a escribir. Una de mis hijas es diestra y la otra es zurda. Son gemelas fraternas, y son tan diferentes como el día de la noche. Habían estado yendo a un preescolar cristiano, y en ese tiempo me dijeron que ambas tenían que aprender a escribir con la mano derecha.

Como se pueden imaginar, mi niña zurda no podía escribir. En realidad, en ese momento, no me había dado cuenta de que era zurda, así que no podía entender por qué comenzó a llorar, diciéndome que no podía hacerlo. No era un llanto por la carga de la tarea o porque estaba cansada. Estaba frustrada y cansada de intentar algo que no podía hacer. Traté de tomar su mano y escribir con ella, pero cuanto más lo intentaba, más lloraba. Ella estaba llorando desde su corazón. Así que literalmente iba y venía entre ayudar a mi hija y, al mismo tiempo, cocinar.

Después de intentar e intentar, yo estaba perdiendo la cabeza. ¡No sabía por qué no podía escribir! Recuerdo haber hecho algo que, hasta el día de hoy, sigo haciendo. Reconocí que no podía ayudarla. Fue injusto hacer llorar a mi hija por algo para lo que no estaba preparada. Mi corazón sintió su dolor; no podía ver llorar a mi hermosa niña. Reconocí mi insuficiencia como madre para ayudarla. Necesitaba revisar mi cena nuevamente, y recuerdo mirar hacia el cielo y decirle al Espíritu Santo con desesperación y en voz alta: "*¡Señor, por favor ayúdala porque simplemente yo no puedo!*".

Así que fui a ver cómo estaba la cena. Cuando regresé, mi hija ya no lloraba. Estaba escribiendo cada letra con tanta facilidad y gracia. Escribía todas sus letras en cursivo, con la letra más hermosa que he visto en mi vida, y lo hacía sola, o al menos eso pensaba yo. Recuerdo haberle dicho con asombro: "*¡Cariño, lo lograste! ¡Qué hermoso! ¿Cómo lo hiciste tan rápido?* Ella respondió con una sonrisa en su rostro: "*¡Mami, no sé! ¡Simplemente sentí una mano agarrando la mía y escribiendo!*

¡Estaba en shock al ver cuán rápido el Señor me escuchó, y Él mismo la ayudó y le enseñó a escribir! Si esto no fue un milagro, ¡no sé qué es! Mi corazón se llenó de alegría al ver cuánto Dios la amaba y nos amaba. ¡Qué grande eres! Cuánto más hará Él cuando lleguemos al final de nuestro propio esfuerzo y reconozcamos lo que no podemos hacer. ¡Cuando nosotros no podemos, entonces Él puede!

Este es el significado de un corazón humilde. Un corazón que pide y busca a Dios cuando estamos ante algo imposible para nosotros y se da cuenta de que no podemos. Ser humilde es reconocer que siempre hay alguien más grande que nosotros. Bueno, ¡el Espíritu Santo de Dios lo hizo! ¡La gloria es para nuestro Dios! Gracias Jesús; Tú eres el autor y consumador de mi fe.

Capítulo 42

Te Escucharé Y Te Sanaré

"En aquellos días Ezequías cayó enfermo de muerte. Y vino a él el profeta Isaías hijo de Amoz, y le dijo: Jehová dice así: Ordena tu casa, porque morirás, y no vivirás. Entonces él volvió su rostro a la pared, y oró a Jehová y dijo: Te ruego, oh Jehová, te ruego que hagas memoria de que he andado delante de ti en verdad y con íntegro corazón, y que he hecho las cosas que te agradan. Y lloró Ezequías con gran lloro. Y antes que Isaías saliese hasta la mitad del patio, vino palabra de Jehová a Isaías, diciendo: Vuelve, y di a Ezequías, príncipe de mi pueblo: Así dice Jehová, el Dios de David tu padre: Yo he oído tu oración, y he visto tus lágrimas; he aquí que yo te sano; al tercer día subirás a la casa de Jehová. Y añadiré a tus días quince años, y te libraré a ti y a esta ciudad de mano del rey de Asiria; y ampararé esta ciudad por amor a mí mismo, y por amor a David mi siervo."

(2 Reyes 20:1-6 RVR1960)

Podemos aprender mucho de la Palabra de Dios para saber cómo responder a situaciones difíciles. Aquí vemos cómo Ezequías recibió su sanidad. No fue por la oración de fe del profeta. Isaías no lo ungió con aceite. Dios sanó a Ezequías cuando le habló a Él con su boca y con su corazón. Habló directamente con Dios mismo. La Palabra dice que Ezequías lloró con gran llanto.

Esto es lo que aprendí de esta escritura: Primero, pon tu corazón en orden. Abre tu corazón a Dios, y no contengas tus lágrimas delante de Él. Recuérdale todas las cosas buenas que has hecho. Pídele el perdón de tus pecados y pídele que alargue tus días en la tierra. Es como ir a la sala del juez y presentar tu caso, pidiendo misericordia para obtener Su Gracia en momentos de angustia (Hebreos 4:16). Humíllate ante Dios.

> *"Acerquémonos, pues, confiadamente al trono de la gracia, para alcanzar misericordia y hallar gracia para el oportuno socorro."*
>
> *(Hebreos 4:16 RVR1960)*

En las manos de Dios está la vida y la muerte; Dios Padre, su Hijo Jesús y el Espíritu Santo. Dios sabe lo que vamos a pedir antes de abrir la boca. Él conoce tu corazón y tus intenciones. No podemos ocultarle nada.

Nuestro Dios es un Dios bueno y maravilloso. Él ya abrió el camino a Su trono y nos invita a ir a Él para presentar nuestro caso. Así que tienes que tener la Palabra de Dios en tu corazón, y tienes que saber que Él es un Dios que da vida. Él mira el Libro de la Vida y sabe lo bueno y lo malo que has hecho. Pide perdón por tus pecados y perdona a todos los que te han ofendido. Si no perdonas, no entrarás en el Reino de los cielos. Pídele que extienda tu vida.

Nuestro Dios es un Dios bueno y justo. Es su naturaleza amarnos, bendecirnos, hacernos bien, prosperarnos, perdonarnos, sanarnos y salvarnos. Dios envió a Su primogénito a derramar Su sangre preciosa (preciosa, no porque sea hermosa sino porque es de gran precio). A rasgar el velo que nos separaba de nuestro Padre Celestial. ¡Dios te ama! Y Él quiere bendecirte. No temas entrar y postrarte ante Sus pies, ante Su trono de Gracia.

Espera el veredicto. Dios no es un peón al que le exigimos lo que queremos, y repetimos versos de sanidad de memoria. No podemos pedir y pedir y esperar lo que pedimos solo porque lo pedimos. Tampoco somos mendigos para suplicar como si Dios no nos escuchara. Si creemos en Jesús, entonces creemos en el Dios verdadero. Él nos invita a Su trono como Sus hijos. ¿Le ruegas a tus padres terrenales un vaso de agua como si fueras un mendigo? ¡No! Somos Sus hijos, y somos amigos de Jesús.

Tengo una muy buena amiga que se llama Magda. Un día, hace años, recibí su llamada del hospital donde trabajábamos. Esta vez ella no estaba trabajando; ella había sido admitida. Me llamó y me preguntó si podía ir a verla. Cuando me enteré de que estaba en el piso de oncología, mi alma cayó al suelo. Estaba abrumada y no podía quitarme de encima el terror que sentía. Cuando fui a verla, me dijo que la cavidad de su pecho estaba llena de cáncer. Magda necesitaba una operación de inmediato.

Sabía dentro de mí que mi oración estaba comprometido por el miedo y por el inmenso amor que sentía por mi amiga, por mi hermana en Cristo. Guardé silencio, sin saber cómo orar por ella. No tenía palabras de consuelo, pero sabía que ella esperaba de mí una oración de sanidad y unas pocas palabras de consuelo. Me sentí paralizada por el miedo.

Ella me dijo: "*¡No te preocupes porque yo sé que fui sanada por las llagas de Jesús*!"

Respondí en voz baja: "*¿De verdad lo crees? ¿O solo me estás diciendo lo que dice la Palabra?*

Y ella me respondió: "*Claro que creo*". Pero yo sabía que su palabra venía de su mente y no de su corazón.

Le dije en voz baja: "*¿Tienes miedo*?"

Magda se echó a llorar y respondió: "*Sí*".

Tomé su mano y le dije honestamente: "*Yo también tengo miedo*".

No hacía mucho que habíamos orado por ella, y Dios había realizado un milagro en su vida. Ella ya tenía un niño, pero tuvo problemas para volver a quedar embarazada. Estábamos orando para que ella tuviera una niña. Ahora que la tenía, temía no poder ver crecer a sus dos hijos. Mientras le preguntaba al Espíritu en mi corazón qué hacer, Él me recordó lo que hizo Ezequías, y entonces le recordé estas escrituras.

Le dije: "*Llora si tienes ganas de llorar. Cuando salga de la habitación, vuélvete hacia la pared y háblale a Dios con tu corazón y con tu boca. Recuérdale tu caminar con Él; recuérdale que lo has servido y que lo amas. Dile a nuestro Padre Dios que te ha dado una niña a la que quieres ver crecer. Derrama tu dolor a Dios y pídele que te sane; pídele que te conceda la vida para ver crecer a tus hijos. Háblale a nuestro Dios, que te escucha*". Y así hizo mi amiga.

Mas tarde me contó que se volvió hacia la pared y le habló a Dios, le recordó cuánto lo amaba y le pidió vida para ver crecer a sus hijos. Lloró tanto ante Dios que se durmió llorando.

Era el turno de la noche y había una enfermera en su piso que era miembro de mi iglesia. No sabía que ella estaba trabajando esa noche. Servimos como intercesores y compañeras de oración en mi iglesia. Mi amiga Magda no sabía que yo conocía a la enfermera.

Más tarde, la enfermera me dijo que solía orar por cada paciente de oncología en su piso. Cuando fue a la habitación de mi amiga para ver cómo estaba, sintió el despertarla y le profetizó: "*No temas pues el Señor me dice que te diga que escuchó tu oración y que te está sanando. Él te ha concedido muchos años de vida para que veas crecer a tus hijos*".

¡Cuán fiel es nuestro Dios, cuán maravilloso es Él! Nuestro Dios nos escucha cuando le hablamos desde el corazón. Porque ella entró en Su trono sabiendo que Dios es y pidió de corazón.

"Pero sin fe es imposible agradarle, porque es necesario que el que se acerca a Dios crea que Él existe, y que es galardonador de los que le buscan con diligencia."

(Hebreos 11:6 NVI)

¡Mi amiga Magda recibió su recompensa! Han pasado más de veinticinco años desde entonces, y mi amiga aún vive y sirve a nuestro Señor, a sus hijos también. ¡Llena tu corazón con Su Palabra revelada! Tenemos que caminar en el Espíritu y preguntarle a Dios qué hacer y cómo orar en todo momento. Aunque tengamos miedo, tenemos que confiar en Dios. Él sabía que yo estaba más que triste, pero Dios me trajo la respuesta de qué hacer.

¡Oh, la sabiduría de Dios! Camina en sus caminos. Sigue la instrucción del Espíritu Santo. Alabadle y adoradle todos los días de vuestra vida. Vístete de Su Gloria. Nosotros somos los que tenemos que servirle y someternos a Él. Sólo Dios es rey, y Él es soberano. ¡Gloriate en tu debilidad! Solo a Dios pertenece toda la gloria. Él hace todo porque siempre es bueno. Somos sus hijos y sus amigos. ¡*Que toda la gloria sea para ti, Señor!*

CAPÍTULO 43

Aprenderás A Mirar Al Corazón

"No juzguéis según las apariencias, sino juzgad con justo juicio."

(Juan 7:24 RVR1960)

Estamos viviendo tiempos muy diferentes a cuando éramos niños. Nuestros padres, al menos los míos, nos cuidaban, nos protegían, nos disciplinaban, nos llevaban a todos lados y no nos dejaban salir a jugar ni salir con nadie de noche. Eso me dio confianza y siempre me sentí segura. Imagino que no es así con todos los niños, pero así fue con nosotros. Fuimos bendecidos.

Sin embargo, al estar y sentirme protegida, me sentía alienada de otras personas. Eso creó un miedo de estar en diferentes lugares o aventurarme sola. Las apariencias de los demás también me causaban un miedo interno que a veces me paralizaba. Hoy en día las cosas han cambiado, y la gente ha dado un cambio cultural drástico, donde la gente se viste como quiere, se corta y tiñe el pelo de muchas maneras diferentes, se hace marcas en el cuerpo (tatuajes), se pone aretes y todo tipo de agujeros en la piel —como yo los llamo— para expresar sus pensamientos, tal vez sus rebeldías, o sus sentimientos, o tal vez porque expresan quiénes son sin importarles lo que digan los demás. es un cambio cultural el cual, esté o no de acuerdo, ellos son bienvenidos con la gente común y especialmente a los jóvenes.

Soy sincera; soy un poco más conservadora en mi forma de vestir, de peinarme y de maquillarme. Nada que destaque o llame la atención. Sin embargo, no critico a nadie que quiera vestirse, peinarse o lucir diferente. Trato de no permitirme juzgar a los demás, ya sea que esté de acuerdo o en desacuerdo.

Sucedió en una ocasión en que yo estaba muy mal de salud, fuimos a visitar a mi hija recién casada el fin de semana del Día Conmemorativo. Ella vivía en ese momento en San Antonio, Texas. Todavía estaba luchando con problemas de salud relacionados con el derrame cerebral que sufrí en 2008. Me habían recetado un medicamento que no me sentaba bien y había decidido suspenderlo de inmediato. Aparentemente, este medicamento no se podía dejar de repente sino poco a poco, pero no lo pensé en ese momento. (¡Yo debería saberlo mejor, yo también era farmacéutica!) Me pasó que al dejarlo de repente, me puso muy enferma. Me sentía mal, y mi cuerpo se sentía muy descompuesto.

Recuerdo que era sábado, y mientras usaba mi teléfono para entretenerme en la Internet, me topé con un dibujo que mostraba a un hombre con recorte de pelo mohicano dándole una flor a una dulce niña. El caso es que en sus sombras sobre una pared, eran todo lo contrario. Lo miré y medité en él durante mucho tiempo. Me llamó la atención como el chico, que a mi parecer no era de fiar, en realidad era un ángel, y la chica, que se veía muy angelical, en realidad era un diablillo. Recuerdo haber meditado en cómo Dios me habló de no juzgar y temer a las personas por su apariencia. Encontré muy inteligente la forma en que Dios me enseñó cómo podemos ser fácilmente engañados.

Bueno, al final del día, todavía me sentía muy mal y mi esposo decidió llevarme a la sala de emergencias. Me resistí porque es muy difícil encontrar mis venas, y cada vez que tenía que ir al hospital, me dolía mucho al ellos no poder encontrarlas. Finalmente, mi esposo ganó y fuimos a la sala de emergencias.

Fuimos a un hospital metodista muy cerca de donde nos estábamos quedando. Me atendieron rápido, y todos fueron sumamente cordiales. Tuvimos una conversación muy amena con el enfermero que me atendió. Nos dijo que vendría otra enfermera a ponerme los líquidos intravenosos en el brazo. Más tarde, cuando llegó un enfermero, me sentí que realmente le tenía miedo a su apariencia. Tenía tatuajes en los brazos, no era muy hablador, y créalo o no: tenía el pelo exactamente cortado en ese estilo Mohicano que había visto anteriormente en la aquella foto. Teniendo miedo del enfermero y micdo de que no encontrara mis venas, le mencioné que era muy difícil encontrar las mías. Él respondió: *"No hay problema, soy un experto en encontrar venas con precisión"*.

Cuando lo escuché hablarme sin mirarme a la cara, el Espíritu Santo me trajo a la mente el dibujo que había usado antes para enseñarme a no juzgar por las apariencias. Una gran paz y calma entraron en mi corazón y con alegría le respondí: *"¿De verdad tienes mucha experiencia en encontrar venas?"*

Y me respondió mirándome a los ojos: "*Fui enfermero en el Ejército durante muchos años y aprendí a hacerlo en los casos más difíciles*". Y con una sonrisa agradecí a este amable enfermero por haber servido en nuestras fuerzas armadas, me tranquilizé y tuvimos una gran conversación. Tenía razón porque encontró mi vena sin ningún problema, y ni siquiera me dolió. No sé cuántas veces le agradecí y lo bendije para continuar con su importante carrera de enfermería. Fue una hermosa experiencia en este hospital cristiano. Y fue de mucha ayuda lo que Dios me dio ese día.

Quizás en nuestro caminar con el Señor nos encontremos con personas que no parezcan dignas de confianza o que, por el contrario, parezcan dignas de confianza. Juzgar es un asunto serio para Dios. Recuerda que no debemos juzgar por las apariencias y que si tenemos que juzgar, debemos hacerlo con rectitud, escuchando siempre lo que Dios nos revela. Requiere una comunicación abierta con Dios en todo momento. ¡Eso es una bendición!

> *"Y Jehová respondió a Samuel: No mires a su parecer, ni a lo grande de su estatura, porque yo lo desecho; porque Jehová no mira lo que mira el hombre; pues el hombre mira lo que está delante de sus ojos, pero Jehová mira el corazón."*
>
> *(1 Samuel 16:7 RVR1960)*

Acordémonos siempre de escuchar al Espíritu Santo, que es Aquel que mira, no a las apariencias, sino al corazón de las personas. ¡Cuán grande y bueno es el Señor! ¡Cuánto nos ama! Cómo Él prepara el camino y las buenas obras para que andemos en ellas. Todas las cosas obran para nuestro bien. ¡*Bendito sea siempre nuestro Señor Jesús!*

Capítulo 44

Sigue Mirándome

"Porque contigo está el manantial de la vida; En tu luz veremos la luz."

(Salmos 36:9 RVR1960)

Era tarde en la noche y recuerdo que estaba leyendo *El Gran Divorcio* de C. S. Lewis cuando me ví atrapada en una visión. Pude ver una ciudad, pero todas las casas, edificios y calles estaban en total oscuridad. No había una sola persona, ni había ninguna actividad en ese lugar oscuro. Parecía una ciudad abandonada en la desolación. Mientras la miraba, todo estaba oscuro, pero al mover un poco la vista para hablar con el Señor, noté en mi visión lateral que la ciudad estaba iluminada. Pero cuando volví mis ojos rápidamente a la ciudad, todo volvió a oscurecerse. Cuando volví a mirar al Señor, la ciudad estaba nuevamente llena de luz. Cuando traté de atrapar la luz en la ciudad, simplemente desapareció.

Le pregunté al Señor: "*Señor, ¿qué significa esto? ¿Por qué no puedo ver las luces en esta ciudad?*

Él me respondió: *"Yo soy la Luz del Mundo; el que me sigue, no andará en tinieblas. Solo necesitas mirarme, y todo a tu alrededor estará lleno de luz. Pero necesitas seguir mirándome*".

Fue una visión muy emocionante el ver como al mirar a Jesús se encendían las luces en toda la ciudad. ¡Qué cierto es esto! Antes de conocer al Señor, siempre tenía miedo de salir sola, de caminar solo por las calles e incluso de conducir a menos que supiera a dónde iba. Pero si lo hubiera visto ahora en el Espíritu, lo vería todo también oscuro y desolado. Pero como sé que Jesús y su Espíritu Santo están siempre conmigo, he superado la mayoría de mis miedos al respecto.

> *"Jehová es mi luz y mi salvación; ¿de quién temeré? Jehová es la fortaleza de mi vida; ¿de quién he de atemorizarme?"*
>
> *(Salmos 27:1 RVR1960)*

Esto es a lo que Pablo se refiere como andar en la carne y andar en el Espíritu. El ocuparse de la carne es muerte, pero el ocuparse del espíritu es vida y paz (Romanos 8:6). ¡Todo se trata de Jesús! Cuando caminamos en el Espíritu, nuestros ojos espirituales se abren y vemos lo que es espiritual y lo que es eterno. Cuando caminamos en la carne, solo vemos lo carnal, lo que perecerá y pronto pasará, lo temporal. Es como cuando se enciende un interruptor dentro de nosotros; la luz se enciende. Una vez que estamos iluminados, vemos claramente; vemos la luz en Su Luz. Veremos a Jesús en todas partes; ¡Todo se vuelve hermoso y vivo!

Recuerdo una vez que hice algo que hice mal y el Señor me dijo que le pidiera perdón a mi esposo. Mi esposo estaba parado frente a mí, apoyado en la cómoda. Cuando Frankie dijo que todo estaba bien, que me perdonó, en realidad vi los ojos de Jesús en sus ojos. ¡Vi la imagen de Jesús en la suya! Es lo mismo con las personas que te rodean. Tu luz se reflejará en sus espíritus. Los llamados tendrán mucha paz y te preguntarán qué es lo que tienes. Tienes que tener la mente de Jesús.

> *"»La lámpara del cuerpo es el ojo; por eso, si tu ojo está sano , todo tu cuerpo estará lleno de luz. Pero si tu ojo está malo, todo tu cuerpo estará lleno de oscuridad. Así*

que, si la luz que hay en ti es oscuridad, ¡cuán grande será la oscuridad!"

(Mateo 6:22-23 NBLA)

Es muy importante dónde pones los ojos. Cuando tus ojos estén sanos, cuando estén enfocados en la luz, tu cuerpo estará lleno de luz. Cuando permites que tus ojos vean cosas nocivas, tu cuerpo se llena de oscuridad. Si estás lleno de tinieblas, ¿cómo puedes ver a Jesús, la vida eterna?

"Porque contigo está el manantial de la vida; En tu luz veremos la luz."

(Salmos 36:9 RVR1960)

Por eso, amigos míos, mantengamos los ojos de nuestro corazón fijos en las cosas del Espíritu. Que los ojos de vuestros corazones se llenen de Luz. Él traerá luz y revelación a nuestras almas y corazones y nos permitirá ver el reino espiritual. Quizás no todo lo que vemos en el mundo espiritual es hermoso; es por eso que necesitamos mantener nuestros ojos en Jesús. Cuando estés en la Luz, verás la luz.

Capítulo 45

Verás Mi Belleza

"Y entró el rey David y se puso delante de Jehová, y dijo: Señor Jehová, ¿quién soy yo, y qué es mi casa, para que tú me hayas traído hasta aquí? Y aun te ha parecido poco esto, Señor Jehová, pues también has hablado de la casa de tu siervo en lo por venir. ¿Es así como procede el hombre, Señor Jehová? ¿Y qué más puede añadir David hablando contigo? Pues tú conoces a tu siervo, Señor Jehová. Todas estas grandezas has hecho por tu palabra y conforme a tu corazón, haciéndolas saber a tu siervo. Por tanto, tú te has engrandecido, Jehová Dios; por cuanto no hay como tú, ni hay Dios fuera de ti, conforme a todo lo que hemos oído con nuestros oídos."

(2 Samuel 7:18-22 RVR1960)

Cada vez que entro en la presencia de Dios, sé que estoy parada firme en Su Reino. ¡Todo adquiere una belleza inexplicable! Todo tiene sentido porque entonces estoy en Él.

"Porque en él vivimos, y nos movemos, y somos; como algunos de vuestros propios poetas también han dicho: Porque linaje suyo somos."

(Hechos 17:28 RVR1960)

Y desde este mi lugar me di cuenta que aunque uno podía ver las cosas hermosas de la creación de Dios, desde Su lugar, todo esto es pequeño comparado con la grandeza de Su magnificencia. ¡Qué grande es Él!

Nada, absolutamente nada que podamos ver y aun tocar, se puede comparar con lo que Él tiene preparado para nosotros, para Sus hijos, los hijos de Dios. Pero podemos ver un poco de esa grandeza cuando Él nos deja ver con Sus ojos. ¿Cómo? Diciéndole, pensando: *"Pon Tus pensamientos en mis pensamientos, pon Tu mirada en mi mirada. ¿Cómo ves esta situación? ¿Cómo ves esto o aquello?"* Y de repente, nuestra mirada cambia, y con Sus ojos, observamos cómo Dios ve y lo que hace.

> *"Pues si vivimos, para el Señor vivimos; y si morimos, para el Señor morimos. Así pues, sea que vivamos, o que muramos, del Señor somos."*
>
> *(Romanos 14:8 RVR1960)*

Todo se trata del Señor, por Él y para Él porque somos Suyos. Si vivo o muero, es por Él. Por eso es tan importante el mensaje de la cruz. A menos que muramos con Cristo la muerte de la cruz, a menos que llevemos nuestra cruz diariamente, no podemos ver más allá de nosotros mismos. Tenemos que morir a nosotros mismos, a nuestra vida como la conocemos, a nuestras pasiones y deseos, para dar paso a Su vida eterna, Sus pasiones y Sus deseos.

> *"Entonces Jesús dijo a sus discípulos: Si alguno quiere venir en pos de mí, niéguese a sí mismo, y tome su cruz, y sígame. Porque todo el que quiera salvar su vida, la perderá; y todo el que pierda su vida por causa de mí, la hallará. Porque ¿qué aprovechará al hombre, si ganare todo el mundo, y perdiere su alma? ¿O qué recompensa dará el hombre por su alma?"*
>
> *(Mateo 16:24-26 RVR1960)*

Detente, retén tus pensamientos por un momento, y no dejes que nada ni nadie te mueva, y conoce a Dios. Lo reconoces. Con tus pensamientos, toca a Dios.

"Estad quietos, y conoced que yo soy Dios"

(Salmos 46:10 RVR1960)

¡Quédate quieto y sabrás quién es Dios! Todo lo que ves en este mundo natural se origina en el mundo espiritual, el Reino de Dios. Todo lo que ves a través de Sus ojos es espiritual; es Dios. Puedes observar desde lo más pequeño hasta lo más grande, desde lo más fácil hasta lo más difícil. Pero con Sus ojos, verás como van cambiando Sus colores, Sus texturas, y veréis cómo fue creado... el principio, desde el corazón del Padre hacia el corazón del hombre, hacia esta vida natural. Desde el principio hasta el final. Es como si caminaras por una hermosa escalera al cielo, cada paso revela el siguiente paso. ¡Tanta belleza!

Así fue como Dios hizo que la eternidad viniera a nosotros los hombres. Del corazón de Dios vino Jesucristo. De la boca de los profetas, Dios habló, y Su Palabra se hizo carne. Jesús es el marco y la puerta por donde Dios envió su Espíritu; Dios esta con nosotros. ¡Qué maravilloso Triuno!

Luego, si no es por Jesucristo y su cruz, no hay vida; no hay eternidad! Tal vez tratas de observar las cosas y te parecen un nudo. Míralos con los ojos de Dios, y verás como todo el pasado, presente y futuro se alinean, y podrás comprenderlo todo. ¿Quién puede entender las cosas de Dios sino Su Espíritu?

"Porque ¿quién de los hombres sabe las cosas del hombre, sino el espíritu del hombre que está en él? Así tampoco nadie conoció las cosas de Dios, sino el Espíritu de Dios."

(1 Corintios 2:11 RVR1960)

Si ya has aceptado a Jesucristo como tu Salvador y Señor en tu corazón, ¿sabes que puedes conocer el Espíritu de Dios? Solo habla con Él, invítalo a tu vida. Él es la puerta abierta al cielo. Él es la escalera a la eternidad. Él dirigirá tus ojos a la realidad de Dios.

El Reino de Dios es donde ahora perteneces. Ya no perteneces a este mundo; el Reino de Dios es ahora tu nuevo hogar (ver Colosenses 1:13). Es mucho más que sentir Su hermosa presencia; es la apertura de tu corazón a los secretos que hasta ahora te han sido ocultos. ¡Y esos secretos, una vez conocidos, son tuyos! Cada Palabra de Dios en Su hermosa Biblia es un mar de secretos esperándote. Una vez sumergido en Él, nunca serás el mismo. ¡Atrévete a caminar sobre las aguas! ¡Atrévete a creer! Mira hacia el cielo, con sus hermosos e inescrutables colores. Mira Su hermosa creación. Todas esas maravillas que Dios creó son para ti. Míralos con los ojos de Dios. Mira toda la belleza en Él. *¡Señor mío, qué hermoso y grande eres! ¡No hay nadie como tú!*

Capítulo 46

Amarás Y Perdonarás

"Vestíos, pues, como escogidos de Dios, santos y amados, de entrañable misericordia, de benignidad, de humildad, de mansedumbre, de paciencia; soportándoos unos a otros, y perdonándoos unos a otros si alguno tuviere queja contra otro. De la manera que Cristo os perdonó, así también hacedlo vosotros."

(Colosenses 3:12-13 RVR1960)

Todos hemos escuchado que debemos perdonar a los demás incluso cuando a veces es muy difícil hacerlo. Tu mente te recuerda el pecado que te han cometido y cada vez te niegas a perdonar. Es como una película en tu mente, y revives el mismo dolor una y otra vez. Tal vez la persona que ha pecado contra ti está tan clara en tu mente cada vez que simplemente no puedes perdonar. ¡Estás consumido por el odio! Se convierte en un baluarte. Estás cautivo porque no puedes perdonar.

En la dimensión espiritual, cuando estás en la presencia del Señor, Su amor es tan real y tan poderoso que traspasa tu corazón y tu alma. Inmediatamente puedes sentir esa falta de perdón en tu corazón. A veces discutes con Dios, dándole razones para no perdonar. Sentimos que hacemos bien en no perdonar, que la persona que nos hirió necesita sentirse responsable de ese dolor.

Cuando yo tenía catorce años, viví el dolor de la traición y tuve una experiencia muy aterradora. Aunque era tan joven, pude sentir ese dolor terrible en mi corazón. Parece que fue hace años, pero siempre lo recordaré. El dolor fue tan fuerte que afectó mi salud y trastornó mi vida. Estaba en un triángulo amoroso incluso a esa corta edad. Sentía tanto odio por esa otra chica, y me estaba consumiendo. El resultado fue que terminé en cama muy enferma de asma durante muchos días.

Mi mamá me llevó al médico, quien me recetó un medicamento para la tos, al cual resultó que yo era muy alérgica. Una vez que mi mamá me lo dio, le pedí que me llevara al baño. Verá, la enfermedad me afectó tanto que, como ya estaba bajo de peso, perdí diez libras más y apenas podía caminar. ¡Estaba tan débil! Así que mi mamá me llevó al baño y me esperó afuera de la puerta.

Mientras estaba en el baño, sentí un dolor horrible que me subía a la cabeza, y solo pude gritar en voz baja: "*Mami!*", y caí al suelo. Lo recuerdo como si fuera en cámara lenta. Mi mamá abrió la puerta y fue a recogerme del piso. Empezó a gritarle a mi papá, que ese día estaba trabajando en casa. Ella gritó algo así como: "*¡Creo que está muerta! ¡Lourdes ha muerto!* Rápidamente llegaron mi papá y mi abuelo y, entre los tres, me llevaron a la cama de mi mamá.

En el momento en que caí al suelo, mi espíritu salió de mi cuerpo y subí al techo del baño. Podía ver todo lo que estaba pasando desde allí arriba. Recuerdo verlos llevándome a la cama, rápidamente mi mamá buscando ropa para ponerse, y mi papá corriendo a buscar las llaves para encender el auto. Estuve allí mirándolos todo el tiempo. Noté que no podía sentir el tipo de apego que siento ahora. Es difícil de explicar, ¡pero sentí que estaba rodeada de tanto amor! Es como si estuviera sumergida en una bañera de amor líquido. Podía ver llorar a mis padres, pero extrañamente sentí que ya no les pertenecía. Yo pertenecía a ese amor en el que estaba yo sumergida. Ese amor y yo éramos uno.

Mientras todo esto sucedía, vi a mi abuelo acariciándome la cara, llorando y diciéndome: "*Mamita, por favor no te mueras, por favor no te mueras*". Vi sus lágrimas corriendo por su rostro. Y eso fue todo. Recuerdo que bajé lentamente a mi cuerpo y, sin embargo, no quería llegar por completo. Las lágrimas en los ojos de mi abuelo eran todo lo que necesitaba ver, y lentamente abrí los ojos un poco. Estaba como entre la vida espiritual y la terrenal. Cuando mi abuelo vio que mis ojos se movían, le dijo a mi madre: "*¡Está viva!*".

Me pusieron en el asiento trasero del auto y condujeron rápidamente al hospital. Mientras estaba en el asiento trasero, experimenté dos zonas horarias diferentes. El auto se sentía como si estuviera volando, pero mi cuerpo sentía que iba muy lento. En ese momento, comencé a hablar con mi Papa Dios en mi mente. ¡Sentía tanto amor por todos, por el mundo entero! Recuerdo haberle dicho: "*¡Papa Dios, siento amor por esa chica!* (Por la que sentí odio, y no podía perdonar.) *La perdono; perdono todo! ¡Siento que la amo! No quiero volver a sentir este odio en mi corazón cuando en Ti soy amor.*"

Me di cuenta que en Dios, eres como Él es. ¡Él es amor, y lo único que puedes hacer es amar! Es el amor de Dios, y no tiene límite ni condición. Estoy agradecida de que Dios me salvó la vida ese día y que el perdón salió naturalmente de mí. ¿Y si hubiera muerto ese día? Oro para que no tengas que llegar al punto de estar tan enfermo porque no puedes perdonar, que no tengas que esperar hasta el último minuto, hasta el punto de la muerte, para darte cuenta de que el amor de Dios es tan grande, que no hay espacio en tu corazón para el odio y la falta de perdón.

Debes encontrar una manera de perdonar ahora a quien sea o lo que sea que te haya sucedido. Lo triste es que no llegarás al cielo si no perdonas. Jesús nos dijo en Su Palabra,

> *"Porque si perdonáis a los hombres sus ofensas, os perdonará también a vosotros vuestro Padre celestial;*

mas si no perdonáis a los hombres sus ofensas, tampoco vuestro Padre os perdonará vuestras ofensas."

(Mateo 6:14-15 RVR1960)

Si Jesús fue a la cruz por ti y por mí por nuestro perdón, ¿quiénes somos nosotros para negar el perdón a nuestros semejantes? Debemos tener en cuenta a los demás porque las personas siempre cometerán errores mientras estén aquí en esta tierra.

Piénsalo; no tienes que perdonar para el beneficio de ellos; ¡tienes que que hacerlo por tu beneficio! Cuando perdonas, estás entregando a esa persona a Dios. No importa si tus sentimientos están alineados con los de Dios o no. Si todavía sientes el dolor en tu corazón, todavía sigue perdonando porque ya has tomado la decisión de perdonar, y lo haces con tu corazón y con tu mente. ¿Qué pasa si aún no lo sientes? Nuestro Dios sabe lo dolido que está tu corazón, y Él entiende. Él quiere ayudarte a perdonar.

Sigue diciéndole a Dios con tu boca, una y otra vez, hasta que el aguijón de ese pecado sea arrancado de raíz y ya no lo sientas más. Pídele que te ayude. Solo haz la resolución de perdonar y hazlo. Dilo con tu boca. Dilo hasta que el dolor de tu corazón se haya ido; no importa cuantas veces lo digas. Sigue diciéndolo todos los días hasta que todo el dolor desaparezca.

"Señor yo perdono a ________". Si todavía hay dolor, aún no has perdonado. Nuestro Dios sabe lo dolido que está tu corazón, y Él entiende. Él estará allí contigo, ayudándote a perdonar. Continúa hasta que el aguijón de ese pecado sea arrancado de raíz y ya no lo sienta más. Y después, cada vez que lo recuerdes, bendice a esa persona que te hirió. Quieres asegurarte de que esa persona sea perdonada y libre. Sin ataduras. Entonces y sólo entonces sentirás la libertad y sentirás el amor de Dios. ¡Hazlo por tu propio bien! Pídele a Dios que te ayude. Puede que te parezca imposible, pero créeme, todo es posible con Dios.

Capítulo 47

Seré Tu Abogado

"Y sabemos que a los que aman a Dios, todas las cosas les ayudan a bien, esto es, a los que conforme a su propósito son llamados. Porque a los que antes conoció, también los predestinó para que fuesen hechos conformes a la imagen de su Hijo, para que él sea el primogénito entre muchos hermanos. Y a los que predestinó, a estos también llamó; y a los que llamó, a estos también justificó; y a los que justificó, a estos también glorificó. ¿Qué, pues, diremos a esto? Si Dios es por nosotros, ¿quién contra nosotros? El que no escatimó ni a su propio Hijo, sino que lo entregó por todos nosotros, ¿cómo no nos dará también con él todas las cosas? ¿Quién acusará a los escogidos de Dios?

Dios es el que justifica. ¿Quién es el que condenará? Cristo es el que murió; más aun, el que también resucitó, el que además está a la diestra de Dios, el que también intercede por nosotros."

(Romanos 8:28-34 RVR1960)

"Hijitos míos, estas cosas os escribo para que no pequéis; y si alguno hubiere pecado, abogado tenemos para con el Padre, a Jesucristo el justo."

(1 Juan 2:1 RVR1960)

"Y Moisés dijo al pueblo: No temáis; estad firmes, y ved la salvación que Jehová hará hoy con vosotros; porque los egipcios que hoy habéis visto, nunca más para siempre los veréis. Jehová peleará por vosotros, y vosotros estaréis tranquilos."

(Éxodo 14:13-14 RVR1960)

Si Dios es por nosotros, muéstrame quién puede estar contra nosotros. ¿De dónde viene el dicho de que somos justos? Viene de Dios mismo. Es Dios quien nos justifica. Dios mismo es quien nos hace justos en Cristo.

Entonces, ¿quién se atreve a acusar a los hijos de Dios? Dios mismo nos justifica. Estamos y permanecemos en Cristo. ¿Quién puede condenarnos? Nadie. Jesucristo murió por nuestros pecados y resucitó, y está sentado a la diestra de Dios Padre para interceder y defender nuestra causa por nosotros. Somos inocentes mientras nos arrepentimos, porque la sangre preciosa de Jesús está delante del Padre.

Ya no estamos solos; ya tenemos un abogado que nos defiende de cualquier acusación. ¿Por qué? Jesús está vivo, y Él vive para nuestra defensa. ¿Crees que después de sufrir la muerte en la cruz por ti y por mí, permitiría que alguien viniera a acusarnos? Somos justos porque Jesucristo, quien es verdaderamente justo, vive en nosotros. Es mi experiencia que cuando pecamos sin quererlo, Jesús nos aboga y nos defiende si ponemos nuestra confianza en Él.

Recuerdo un domingo cuando salía de la iglesia después de dar el servicio. Estaba en mi auto en la intersección frente a la iglesia cuando me detuve en la señal de alto. Miré a ambos lados, y cuando no vi que venían autos, continué girando a la izquierda. Al entrar en mi carril, sentí el rugido de otro carro que venía por la derecha que yo no había visto. Tuvimos una mala colisión, pero gracias a Dios, salimos bien.

Algunos miembros de la iglesia inmediatamente vinieron a ayudarme. Estaba confundida porque estaba segura de que había mirado antes de intentar hacer ese giro y no había visto este auto. Dos o tres personas de la iglesia se acercaron a mi ventana y comenzaron a darme sugerencias sobre cómo responder a la policía cuando llegara. Pensé que era mi culpa por no haber visto bien. Estaba seguro de que había mirado y estaba convencida de que no venía ningún otro automóvil. Decidí entonces permanecer en silencio.

Escuché al Señor decirme: "*Estate quieta y ve que yo soy Dios. Soy tu abogado. Déjame manejar esto*" (ver Salmo 46:10). Y eso fue lo que le dije a la gente que estaba a mi alrededor: *"El Señor es mi abogado",* y me quedé quieta sin decir una palabra más.

Salí del auto y revisé a la persona en el otro vehículo, y ella estaba bien. Pero me quedé en silencio. ¿Qué podría decir en mi defensa? Estaba hablando en mi mente con el Espíritu Santo, repitiendo Sus palabras: "*Tú eres mi abogado*".

Llegó la policía, y ¿puedes creer que el policía me miró y ni siquiera me preguntó mi nombre? ¡Me acaba de decir que me puedo ir en paz! Todavía recuerdo esto. La policía debería haberme pedido documentación, mi nombre, o quizás haberme dado una multa. Aunque el auto me golpeó por detrás, pensé que era mi culpa. Pero el policía no me preguntó nada porque reconocí a quién pertenezco. ¡Jesús habló por mí! ¡Jesús estaba a mi favor!

Mientras estemos unidos a Cristo, mientras estemos en Cristo, nada ni nadie puede acusarnos o separarnos de la justicia y el amor de Dios. Ni el mismo diablo, con sus acusaciones, jamás podrá acusarnos, juzgarnos o condenarnos porque estamos en Cristo. Esto es algo que tenemos que entender literalmente; Jesús es nuestro abogado.

Muchas veces he estado en situaciones en las que podría haber salido culpable pero seguí confiando en mi fiel abogado. No estoy diciendo que Él nos defenderá cuando pecamos intencionalmente, sino cuando no es intencional. Cuando cometemos errores, Dios no cuenta esos errores como pecados. Incluso si es intencional, cuando confesamos nuestros pecados y recibimos el perdón, Jesús sigue siendo nuestro abogado. Es como cuando algunos de nuestros hijos derraman jugo en la alfombra. Si no fue su intención y no fue malicioso, entonces es un error, un accidente, y un buen padre no debe disciplinarlos. Y cuando nuestros hijos nos dicen cosas hirientes intencionalmente y luego nos piden perdón, seguimos siendo sus defensores. Así es la nuestra relación con nuestro Padre Celestial. Dios nos perdona y nos defiende. Él siempre está a nuestro favor. Somos suyos.

"*Gracias, Jesús, por salvarnos, por dar tu vida por la nuestra y por seguir intercediendo por nosotros. Tú eres nuestra defensa, y eres nuestra justicia. Tú eres nuestro Abogado fiel y eterno. Gracias porque somos más que vencedores por medio de Cristo que nos amó.*"

Imagínate esto, si Jesús entregó su preciosa vida a cambio de la nuestra en la cruz, ¿cómo no seguirá dando su vida por la nuestra, abogando por nosotros? Jesús está continuamente ante el Padre por el poder de una vida que no puede ser destruida (Hebreos 7:16).

Él continúa como un chivo expiatorio para siempre por nuestros pecados. No tienes que enfrentarte solo al acusador. Permite que Jesús sea tu abogado y déjale el camino. Deja que Él maneje tu situación. Verás que todas las cosas cooperan para nuestro bien. *¡Gracias, Dios Padre, por Jesucristo nuestro Señor!*

Capítulo 48

Yo Lo Haré

"Si algo pidiereis en mi nombre, yo lo haré."

(Juan 14:14 RVR1960)

Hay momentos en la vida donde le pedimos a Dios por cosas y situaciones que necesitan cambiar, pero como no vemos el resultado inmediatamente, pensamos que Dios no nos ha escuchado o que tal vez la situación es tan difícil que le es imposible hacerlo. Empezamos a tener una doble mente y cuestionamos nuestra fe. Hermanos, para Dios no hay nada difícil; ¡no hay nada imposible! Él siempre nos escucha, pero tenemos que tener claro que Dios no es un mago.

En algunos casos, la intervención de Dios es casi inmediata. Esto es lo que llamamos milagros. Pero debido a que la fe produce paciencia en nosotros, lo que le pedimos a Dios toma tiempo para que se haga realidad.

"pero si deseamos algo que todavía no tenemos, debemos esperar con paciencia y confianza)."

(Romanos 8:25 NTV)

Debemos esperar con paciencia y confianza, es decir, con fe. El Espíritu Santo me enseñó hace mucho tiempo que la paciencia significa ser feliz de esperar. Eso se quedó conmigo.

Espera con confianza que sucederá lo que hemos pedido. Eso es caminar en fe.

Cabe señalar que hay ocasiones en que le pedimos al Padre que actúe, pero somos nosotros los que tenemos que dar la orden con nuestra boca. Nosotros somos los que damos la orden, y luego actúa Dios. Todas las promesas en la Biblia son "sí" y "amén" (ver 2 Corintios 1:20) para Dios, por lo que deben serlo también para nosotros. Solo necesitamos dar la orden y decretar con la autoridad que Jesús nos dio. En el Libro del Éxodo, vemos un buen ejemplo de esto.

> *"Entonces Jehová dijo a Moisés: ¿Por qué clamas a mí? Di a los hijos de Israel que marchen. Y tú alza tu vara, y extiende tu mano sobre el mar, y divídelo, y entren los hijos de Israel por en medio del mar, en seco. Y he aquí, yo endureceré el corazón de los egipcios para que los sigan; y yo me glorificaré en Faraón y en todo su ejército, en sus carros y en su caballería; y sabrán los egipcios que yo soy Jehová, cuando me glorifique en Faraón, en sus carros y en su gente de a caballo."*
>
> *(Éxodo 14:15-18 RVR1960)*

De la misma manera que Dios requirió que Moisés hablara e hiciera, incluso cuando estaba con él, es la manera en que Dios requiere que nosotros hablemos y hagamos. Su presencia está con nosotros.

La Palabra nos dice que si le pedimos algo en el nombre de Jesús, Él lo hará (Juan 14:14). Las palabras "pedimos" en griego significan hacer una petición, hacer una demanda, ordenar. Recuerdo hace mucho tiempo cuando mis gemelas tenían unos tres años. Una mañana, Estela tenía una fiebre muy alta. Yo había hecho todo lo que tenía que hacer. Le di Tylenol, llamé al médico y me dijo que la mantuviera en observación. Hay algo que pasa en el corazón de una madre cuando ve a su hijo enfermo. Es agonía, un sufrimiento tan grande que darías tu vida por tu hijo.

Estaba yo arrodillada junto a su cama y recuerdo que comencé a orar por ella y le ordené que la fiebre la dejara en el nombre de Jesús. Estaba letárgica por la fiebre alta y dormía. Estaba tomando demasiado tiempo y la fiebre no bajaba tan rápido como esperaba. Realmente esperaba que hubiera sucedido de inmediato. Yo venía de una iglesia donde milagros ocurrian todos los días.

Le pregunté al Espíritu Santo por qué tardaba tanto y me respondió: "*Esto no es magia. Imagínate si tomas una hoja de papel en blanco, tomas una cerilla encendida y la colocas en el medio, debajo del papel. Primero, la llama toca el papel; luego el papel comienza a arder en el medio, y luego, lentamente, la llama lo rodea hasta que todo el papel se quema. Imagina que eso es lo que sucede cuando oras por tu niña. Tienes que tener paciencia desde el momento en que oraste hasta que la curación se complete en su cuerpecito*". Escuchar Su explicación creó paciencia y fe en mí, haciéndome feliz de esperar a que la fiebre bajara. ¿Y adivina qué? Le tomó alrededor de media hora, la fiebre disminuyó y ella se despertó.

Dios es un obrador de milagros, pero estos ocurren cuando la prontitud es necesaria o cuando sirve como una señal para que los incrédulos crean. No significa que Dios no te escuchó o que tu fe no es suficiente. No tengáis miedo de orar por los enfermos; cuanto más ores, más práctica tendrás. Pero siempre escucha lo que el Espíritu te dice.

Trabajé en un hospital durante muchos años y generalmente oraba por los enfermos. Oré por mis compañeros de trabajo, por los pacientes internados, dondequiera que mis oraciones fueran solicitadas. Pero siempre lo hice en el poder de Dios y la Palabra del Espíritu, que es el Señor.

Hay personas a las que les ha llegado el momento de pasar de esta vida, otras requieren milagros, y otras requieren paciencia y confianza, porque tomará el tiempo necesario para completar su sanidad. Verás la Gloria de Dios manifestarse. No te desanimes si ves que no pasa nada. Quizás requiere más oración, o quizás Dios te está enseñando a esperar, a ser paciente. ¡Confía en la Palabra Viva de Dios! ¡Es Dios quien sana, no tú! Si pides en el nombre de Jesús, si ordenas o decretas algo, confía en que Él lo hará. No te vuelvas de doble ánimo, no dudes. El Señor está en ti y contigo. Deja que Él haga Su trabajo en el tiempo que sea necesario, y sigue haciendo lo que estabas haciendo. ¡*Gracias, Señor Jesús!*

CAPÍTULO 49

Deja Que Los Niños Vengan A Mí

"Entonces Jesús dijo: —Dejen que los niños vengan a mí, y no se lo impidan, porque el reino de los cielos es de quienes son como ellos.,"

(Mateo 19:14 DHH94I)

Deja que los niños vengan a Jesús y no a ti. Es Su Espíritu quien hace el trabajo. Porque no sabemos orar (lea Romanos 8:26), y no sabemos cuándo hacer lo que es correcto.

Tenemos que aprender que nuestros hijos son nuestros por naturaleza pero son hijos de Dios por su espíritu. Mientras los criemos según la carne, crecerán según la carne. Pero si los criamos con la ayuda del Espíritu Santo, entonces sus espíritus serán dóciles en Sus manos.

Imagínate cómo nuestro Papa Dios criaría a tus hijos. ¿Les gritaría? ¿Los golpearía para que obedecieran? ¿Los asustaría? ¿Los compraría o los manipularía para que obedecieran?

"Mas el Consolador, el Espíritu Santo, a quien el Padre enviará en mi nombre, él os enseñará todas las cosas, y os recordará todo lo que yo os he dicho."

(Juan 14:26 RVR1960)

La palabra "*Consolador*" en el griego original es paraklētos, que significa alguien llamado a nuestro lado para ayudar. Dios envió Su Espíritu para acompañarnos, ayudarnos y enseñarnos todas las cosas según Su Palabra, para ayudarnos constante y continuamente en nuestra vida diaria. Para recordarnos lo que Jesús nos dijo.

¿Quién nos enseñó a ser padres? Nunca he visto una escuela para padres que nos enseñe precisamente cómo criar a nuestros hijos. Hoy en día, hay toneladas de libros que nos enseñan muchas formas diferentes de ser padres, pero en lugar de sentirnos ayudados, nos sentimos un poco confundidos.

Quienes tenemos hijos los amamos con todo nuestro corazón, pero no sabemos cómo darles verdaderamente todo lo que necesitan, cómo enseñarles y cómo disciplinarlos, aunque creamos que sí. Los niños tienen muchas necesidades, emocionales, físicas y espirituales. ¡Cada niño es tan diferente del otro! La mayoría de los padres hacen lo mejor que pueden, pero el único que realmente sabe cómo ser padre es nuestro Papa Dios. Sus pequeños espíritus son pequeños vasos que Dios está moldeando para ser lo que Él los creó para ser. Cada niño viene a este mundo con un propósito. Los padres son los ayudantes de Dios en la creación de una obra maestra de cada uno de ellos.

Es el Espíritu de Dios que está con nosotros y en nosotros para ayudarnos en la educación de nuestros hijos y enseñarnos cómo hacerlo. Él los creó, y Él es el único que sabe todo acerca de ellos. Son pocos los padres que tienen una relación íntima con el Espíritu Santo y la tienen para poder consultarlo en cualquier situación que se les presente. Yo personalmente no puedo decirles cómo educar a sus hijos, pero puedo mostrarles una mejor manera de acuerdo al Espíritu de Dios.

Recuerdo cuando mis hijas eran muy pequeñas. Nos estábamos preparando el domingo por la mañana para asistir a la iglesia. Una de mis gemelas se rebeló porque no quería usar la ropa que yo había seleccionado para que ella usara esa mañana. ¿Alguien encuentra este dilema en la mañana familiar?

Se nos hacía tarde y ella no quería vestirse, punto. Empezó a llorar y yo ya me estaba molestando con ella, pero el Espíritu Santo sabía que yo no quería gritarles ni pegarles para que me obedecieran. Antes de perder la paciencia, fui a mi baño y comencé a llorar. Desesperada, le dije al Espíritu Santo: "*Señor, no sé qué hacer. Yo ya no puedo más.*"

Y escuché al Espíritu Santo diciéndome este versículo,

> *"Entonces Jesús dijo: —Dejen que los niños vengan a mí, y no se lo impidan, porque el reino de los cielos es de quienes son como ellos.,"*
>
> *(Mateo 19:14 DHH94I)*

Y yo respondí: *"Entonces deja que mi niña venga a Ti y no a mí. No sé cómo ser una buena madre"*.

Solo pasaron unos segundos cuando mi pequeña tocó la puerta del baño. Abrí la puerta, y ahí estaba mi niña luciendo tan triste; y ella me dijo: "*Mami, perdóname por no querer vestirme. Ven para que puedas vestirme como quieras.* ¡Gloria a Dios! No podía creer lo que escuchaban mis oídos. Estaba asombrada de lo que el Espíritu había hecho por mí. Así crié a mis niñas, sin tener que pegarles ni perder la paciencia, confiando en la sabiduría de Dios en cada decisión que tomaba, y con la ayuda del Espíritu Santo, estando presente conmigo en cada paso del camino. Lo creas o no, hasta el día de hoy, esa es también la forma en que interactúo con mi nietecito.

No siempre todo fue perfecto todo el tiempo porque, como toda madre, cometí muchos errores. Pero caminando con el Espíritu Santo, siempre fue fácil llegar al corazón de mis hijas. Recuerda,

> *"Si ahora vivimos por el Espíritu, dejemos también que el Espíritu nos guíe."*
>
> *(Gálatas 5:25 DHH94I)*

¡Nunca es demasiado tarde para tomar la mano de nuestro Señor! Y eso significa en cada situación y con quien sea. *Gracias, Padre, por estar siempre a mi lado. ¡Porque siempre estás conmigo y siempre me has ayudado! ¡Mi Dios y mi Ayudador!*

Capítulo 50

Hablarás Con Un Lenguaje Nuevo Que No Entenderás

"Hay en la iglesia diferentes dones, pero el que los concede es un mismo Espíritu. Hay diferentes maneras de servir, pero todas por encargo de un mismo Señor. Y hay diferentes manifestaciones de poder, pero es un mismo Dios, que, con su poder, lo hace todo en todos. Dios da a cada uno alguna prueba de la presencia del Espíritu, para provecho de todos. Por medio del Espíritu, a unos les concede que hablen con sabiduría; y a otros, por el mismo Espíritu, les concede que hablen con profund conocimiento. Unos reciben fe por medio del mismo Espíritu, y otros reciben el don de curar enfermos. Unos reciben poder para hacer milagros, y otros tienen el don de profecía. A unos, Dios les da la capacidad de distinguir entre los espíritus falsos y el Espíritu verdadero, y a otros la capacidad de hablar en lenguas; y todavía a otros les da la capacidad de interpretar lo que se ha dicho en esas lenguas. Pero todas estas cosas las hace con su poder el único y mismo Espíritu, dando a cada persona lo que a él mejor le parece."

(1 Corintios 12:4-11 DHH94I)

El Nuevo Testamento nos hace claro que el Señor le ha dado a Su iglesia nueve dones a través del Espíritu Santo. Son manifestaciones de Su poder y vienen a cumplir el propósito y las necesidades de cada miembro de Su iglesia. El Espíritu

Santo distribuye cada uno individualmente a cada miembro como Él quiere.

Es mi experiencia que el Espíritu Santo ha mostrado Su poder a través de mí a través de diferentes dones de acuerdo a la necesidad de Su iglesia y en diferentes épocas de mi vida. Esto significa que una persona puede experimentar un don o muchos dones según la voluntad del Espíritu. Él piensa en las necesidades específicas de cada persona de Su iglesia y no en el deseo de ninguna persona por su propia satisfacción. El Señor ama a Su pueblo y quiere ministrar a todas sus necesidades.

Puedo recordar haber ministrado con cada don del Espíritu Santo en muchas situaciones diferentes. Desde que fui salva a los treinta años, siempre me he entregado completamente al Señor. He deseado con gran pasión todo lo que Él tiene para mí y siempre he deseado ser usada por Él para servir a los demás. Desde que supe que los dones nos los daba el Espíritu Santo, nunca he dejado de pedir. Los dones del Espíritu Santo son para aquellos que los desean y quieren estar en una posición de servicio. Si no quieres servir, el poder del Espíritu Santo no se manifestará a través de ti.

Recuerdo cuando me enteré, después de recibir a Jesús en mi corazón, que necesitaba ser bautizada en el Espíritu, y me pregunté si ya yo lo estaba o no. Un día fui a una convención de damas en otra iglesia evangélica a la que asistía mi amiga Ana. La ministro había venido de Puerto Rico y anteriormente había ministrado allí a mi hermana. Ella me dijo que la que le ministró estaba llena del Espíritu y que le había ministrado con gran poder.

Así el día de la conferencia, estaba yo sentada en los asientos delanteros y estaba muy cerca de la ministro. Fue una experiencia maravillosa, y la presencia del Señor fue increíble. En mi mente, ya estaba decidida a recibir el bautismo del Espíritu Santo. Al terminar la conferencia y cuando la oradora estaba a punto de irse, me subí a la plataforma, corrí hacia ella y la agarré del brazo. Recuerdo haberle dicho: "*Lo siento, no se puede ir. Necesito que ore por mí para recibir el bautismo del Espíritu Santo*".

Ella me sonrió y suavemente puso sus manos en mis sienes y dijo: "*Cuando empiezes a orar, esperas a que te diga cuándo, y luego empiezas a hablar, pero no en inglés ni en español. Deja salir el sonido; deja que el Espíritu dirija tu lengua*". Así lo hice, y en ese momento, ella comenzó a orar y cuando me dijo: "*Ahora*", sentí como si el piso debajo de mí se hubiera abierto y una manguera de aire soplara a través de mí. Ese viento poderoso subió por mis talones, y el viento salió de mi boca. Ella me dijo: "*¡Ahora, habla!*" Estuve a punto de caerme y mi amiga Ana me estaba sujetando para que no me cayera. Empecé a hacer unos sonidos indescriptibles y pensé, ¡*no sé lo que estoy diciendo*! Y le dije exactamente lo que estaba pensando, y ella me dijo que este era el don de lenguas, un idioma que yo no entendía, pero Dios sí.

Y desde ese momento, he continuado hablando en esas lenguas extrañas, con estas palabras extrañas que no entiendo. Entonces el bautismo del Espíritu debería venir con evidencia de lenguas, no evidencia para el mundo sino evidencia para ti. Evidencia de que tienes a Dios dentro de ti.

> *"pero cuando el Espíritu Santo venga sobre ustedes, recibirán poder y saldrán a dar testimonio de mí, en Jerusalén, en toda la región de Judea y de Samaria, y hasta en las partes más lejanas de la tierra."*
>
> *(Hechos 1:8 DHH94I)*

Cada persona tiene una experiencia diferente, una historia diferente de cómo recibió el Espíritu Santo y cómo recibió el don de lenguas. Así como cada persona es diferente, así de diferente será tu historia para contar y compartir. Pero siempre dentro de los límites de lo que nos enseña la Palabra. No puedo decirle exactamente cuándo sucederá si no ha sucedido ya. Pídele a Dios que te bautice con Su Espíritu. Pídelo con muchas ganas. Encuentra una persona llena del Espíritu y con autoridad, ya sea tu pastor, un ministro o un anciano de tu iglesia. Sé persistente y lo conseguirás. ¡No tengas miedo, nunca! ¡Tu vida nunca será la misma! Mi vida jamás lo ha sido.

Con el Espíritu vienen los dones y el poder de Dios. Sobre todo viene el poder de testificar y compartir que Jesús vive dondequiera que vayas. Te conviertes en testigo porque has experimentado a Dios. No es algo sobre lo que hayas leído o escuchado de alguien. Tú mismo lo conoces, y eso te convierte en testigo. ¡No hablamos de lo que imaginamos sino de lo que vivimos con Jesucristo! ¡Espero que mi experiencia no traiga la tristeza de lo que aún no se ha logrado sino una gran alegría por lo que está por venir! La bendición del Padre, del Hijo y del Espíritu Santo sea con ustedes y con su espíritu.

Capítulo 51

Tus Cabellos Están Todos Contados

"Antes bien, como está escrito: Cosas que ojo no vio, ni oído oyó, Ni han subido en corazón de hombre, Son las que Dios ha preparado para los que le aman."

(1 Corintios 2:9 RVR1960)

Recuerdo vívidamente este día cuando estaba en el trabajo y le comentaba a mi amiga cristiana sobre la cirugía a la que me sometería al día siguiente. El médico obstetra y ginecólogo había encontrado un quiste en mi abdomen y quería extirparlo. Pensó que la endometriosis que había estado sufriendo podría haber causado el quiste. No tenía ninguna duda sobre la cirugía hasta que mi amiga me dijo algo como esto: "*Si tienes fe, entonces no deberías necesitar someterte a una cirugía*".

¡Era la verdad! ¿Dónde estaba mi fe? Entonces, en mi descanso, tomé mi Biblia y la abrí en oración, diciéndole al Espíritu Santo: "*Háblame, por favor, sobre lo que debo hacer. ¿Debo continuar con la cirugía o debo llamar y cancelarla?*". Cuando abrí mi Biblia, fui dirigida al versículo en Mateo,

"Pues aun vuestros cabellos están todos contados."

(Mateo 10:30 RVR1960)

Tenía prisa y me molesté con la respuesta del Espíritu Santo. Cerré mi Biblia abruptamente y pensé, *¿Qué tienen que ver los cabellos de mi cabeza con mi cirugía?*

Permanecí molesta el resto del día, preocupada por mi falta de fe. Cuando llegué a casa, estaba en mi armario, quitándome los zapatos, cuando escuché una voz audible: *"Has caído en una trampa*". ¡Eso fue todo! Hasta aquí llegué yo. No podía creer que estaba cayendo directamente en una trampa. De pie frente a mi cama, miré al cielo con desesperación y le dije a mi Padre Celestial: "*Padre, perdóname por caer en esta trampa. ¡Pero Padre, tu eres más que suficiente para encargarte de esta situación!"* Y punto.

Fue tanto el estrés durante todo el día que tuve que dejarle el problema a Dios. Seguí caminando hacia la cocina, me preparé una taza de café y me senté frente al televisor a ver el programa *This Is Your Day*, con mi pastor, Benny Hinn. Este era un programa en el que Él oraba por la sanidad de la audiencia.

Pastor Benny estaba enseñando la Palabra en el programa cuando de repente se detuvo y dijo: "*Hay una señora que hace un momento habló con el Padre, y me está diciendo que le diga que sí, Él la escuchó y sí, Él se encargará de la situación.*" Estaba un poco confundida, pensando, *¿Podría ser yo?* Luego, simplemente lo descarté, pensando que tal vez podría ser otra persona. El pastor Benny continuó enseñando la Palabra cuando de repente, nuevamente, se detuvo y dijo: "*A la señora con la que estaba hablando, el Señor me está diciendo que sí, Él la escuchó, y sí, Él se encargará de la situación. Y para que no tenga duda el Señor le dice que tiene todos sus cabellos de su cabeza contados.*" ¿Qué? ¡Esta Palabra era para mí! Entendí, entonces, el significado detrás de este verso. Mi corazón estaba tan lleno de Su alegría y de Su amor. Nada me sucedería a menos que fuese Su voluntad. No tendría que preocuparme porque Dios tiene todos los cabellos de mi cabeza contados. ¡Qué alivio! Todo estaba en manos de Dios.

A la mañana siguiente, me desperté en muy buen estado de corazón y mente. Tuve Su paz, que en realidad sucede después de que Dios habla. Yo estaba muy feliz. Fui al hospital, y estaba acostada en mi cama cuando vino a verme otra buena amiga mía cristiana, la cual trabajaba en esa unidad. Ella me dijo: "*¡Lourdes, no tienes idea de lo que pasó! El anestesiólogo que fue asignado a tu consulta al ver tu nombre se excusó. Renunció, y creo que lo van a enviar a rehabilitación; tiene un problema con la bebida.*" ¡Ay Dios mío! Cuando me dijo su nombre, lo reconocí del accidente que había tenido un año antes cuando su carro chocó el mío por detrás. Él se encontraba ebrio en ese momento.

¿Podrías creerlo? ¡Cómo Dios estaba haciendo lo que me dijo, estaba encargándose de la situación! Pasé por la cirugía sin dudas en mi mente. Tan pronto como abrí los ojos en la sala de recuperación, lo primero que noté fue la tremenda presencia de Dios sobre mí. Simplemente le devolví la sonrisa mientras disfrutaba de Su gloriosa presencia. Mi amiga estaba orando por mí a mi lado. El médico vino a verme y me dio las mejores buenas noticias: "*¡Lourdes, no pude encontrar el quiste! ¡Ha desaparecido! Y además, no encontré ningún rastro de endometriosis en tu abdomen. No se que decir...*"

Esta experiencia me ha enseñado mucho. Aprendí que no importa cuánta fe creas que necesitas; solo necesitas ser guiado por el Espíritu. Él siempre confirma Su Palabra hablada con Su Palabra escrita. Nunca debo tener miedo de mis circunstancias. Que Dios está escuchando todo lo que oramos, y ahí es donde se prueba mi fe. El saber que Él está escuchando, y sí, que Él es más que capaz de librarme de cualquier mal. Aprendí que cada paso que doy en mi vida es ordenado por Dios, sin importar a dónde me lleve. Estoy en las manos de Dios. Él es más que suficiente de darme más de lo que le pido. La gloria sea siempre para nuestro Dios.

> *"Y a Aquel que es poderoso para hacer todas las cosas mucho más abundantemente de lo que pedimos o entendemos, según el poder que actúa en nosotros, a él sea gloria en la iglesia en Cristo Jesús por todas las edades, por los siglos de los siglos. Amén."*
>
> *(Efesios 3:20-21 RVR1960)*

CAPÍTULO 52

Extenderás Mi Compasión Y Mi Misericordia

"Tengan cuidado de no negarse a escuchar a Aquel que habla. Pues, si el pueblo de Israel no escapó cuando se negó a escuchar a Moisés, el mensajero terrenal, ¡ciertamente nosotros tampoco escaparemos si rechazamos a Aquel que nos habla desde el cielo! Cuando Dios habló desde el monte Sinaí, su voz hizo temblar la tierra, pero ahora él hace otra promesa: «Una vez más, haré temblar no solo la tierra, sino también los cielos». Eso significa que toda la creación será agitada y removida, para que solo permanezcan las cosas inconmovibles."

(Hebreos 12:25-27 NTV)

Dios nos habla todo el tiempo, ya sea a través de Su voz, a través de Sus acciones o a través de Su creación. Depende de nosotros buscar el oírlo, escucharlo y obedecerlo. Negarse a escucharlo es negar la vida. Es negar a Dios mismo y a Jesucristo, nuestro único dueño y Señor. Y si tuviéramos que negar la vida, solo tendríamos que lidiar con la muerte, el castigo de vivir sin Dios para siempre, el llanto y el crujir de dientes. Leemos en el Libro de Judas,

"Les digo esto, porque algunas personas que no tienen a Dios se han infiltrado en sus iglesias diciendo que la maravillosa gracia de Dios nos permite llevar una vida

inmoral. La condena de tales personas fue escrita hace mucho tiempo, pues han negado a Jesucristo, nuestro único Dueño y Señor."

(Judas 1:4 NTV)

Estas personas viven una vida salvaje sin interrupciones ni limitaciones. No pueden saber cómo reconocer cuándo están haciendo algo malo y cuándo necesitan arrepentimiento. Hemos llegado a un punto de nuestra historia en el que hemos perdido el respeto por lo sagrado y rechazamos la Gracia de Dios con nuestra desobediencia. No podemos reconocer cuán grande y santo es nuestro Dios, y lo tratamos como si fuera tan solo un amiguito.

Algo que le pido al Espíritu Santo es que despierte en mí el temor de Dios. Ese miedo a hacer el mal, a lo que no agrada a Dios. Que no pierda la reverencia al Altísimo, que no me hallen irrespetuoso o desobediente. Que mi ira no sea incontrolable, y que no me hallen en rebeldía. Que no haya deshonestidad en mi boca ni en mi corazón. Te preguntarás, "*¿Cómo*?" Al perder el temor de Dios. Empezando a llamar malas a las cosas buenas y buenas a las malas. Al no respetar, no honrar y burlarme de lo que no entiendo. Al no darle importancia a lo que es importante para Él. Necesito reconocer que es Dios cuando siento el dolor de los demás en mi corazón y no ignorar su gran misericordia. Sentirme arrogante solo me lleva al camino de la perdición. *¡Ten piedad, Dios mío! ¡Ten paciencia cuando trates conmigo!*

No me refiero al miedo que nos acecha a diario porque es diabólico y sólo pretende impedir que hagamos lo que tenemos que hacer. Sino al miedo que nos hace avanzar hacia Dios mismo. Es respeto, reverencia y obediencia a Su santa presencia y a Su voz.

Mucha gente va por la vida negando a Dios, ignorando Su voz. Sin embargo, Dios permanece fiel a las oraciones de sus hijos. Sabemos que Dios nunca nos deja solos y nunca nos deja aquellos que con tanto amor piden su intervención. ¡Misericordioso y grande es nuestro Dios! Corrígeme, repréndeme, pero no me quites de tu presencia. Que tu amor perfecto deseche el miedo que no me deja agradarte, ese miedo inexplicable de caminar en la grandeza de Dios.

> *"Pero esa gente se burla de cosas que no entiende. Como animales irracionales, hacen todo lo que les dictan sus instintos y de esta manera - su propia destrucción."*
>
> *(Judas 1:10 NTV)*

Esas personas se burlan delas cosas que no entienden. Recuerde que el mundo o reino espiritual no puede ser entendido por aquellos que no han nacido de nuevo. Por aquellos que tienen sus espíritus separados de Dios. Entonces, ¿cómo van a entender? Les parece una locura, y lo descartan; ellos lo niegan y se ríen, se burlan de las cosas de Dios.¡Qué gran aflicción les espera! Se entregan a lo que les es natural y común, y lo hacen de acuerdo a sus instintos, llevándolos a su destrucción.

Todo esto es muy difícil para mí. Es tan difícil entender cómo es que toman caminos equivocados y toman decisiones diarias que los alejan cada vez más de Dios.

> *"Ellos les advirtieron que en los últimos tiempos habría gente burlona cuyo objetivo en la vida es satisfacer sus malos deseos. Estos individuos son los que causan divisiones entre ustedes.Se dejan llevar por sus instintos naturales porque no tienen al Espíritu de Dios en ellos."*
>
> *(Judas 1:18-19 NTV)*

Las personas que se burlan son aquellas cuyo objetivo es conservar su forma de pensar y satisfacer sus propios deseos. Se dejan llevar por sus instintos naturales porque no entienden las cosas espirituales; no tienen y no pueden seguir al Espíritu de Dios. Estas personas son las que causan divisiones entre nosotros;

¡Cómo sufro cuando veo a mi pueblo dividido! Querido Dios, danos discernimiento para saber dónde estás y dónde no estás. ¿Qué hacer entonces?

> *"Pero ustedes, queridos amigos, deben edificarse unos a otros en su más santísima fe, orar en el poder del Espíritu Santo y esperar la misericordia de nuestro Señor Jesucristo, quien les dará vida eterna. De esta manera, se mantendrán seguros en el amor de Dios. Deben tener compasión de los que no están firmes en la fe. Rescaten a otros arrebatándolos de las llamas del juicio. Incluso a otros muéstrenles compasión pero háganlo con mucho cuidado, aborreciendo los pecados que contaminan la vida de ellos."*
>
> *(Judas 1:20-23 NTV)*

Aprendamos a extender la compasión y la misericordia a aquellos que no quieren entender las cosas de Dios sin que te dejes seducir por su forma de vivir. Debemos pedir al Espíritu Santo que nos dé la sabiduría de Dios, para saber responder a los que se burlan de la justicia de Dios. Edifiquémonos unos a otros en la fe, unidos, no separados, en lo que sabemos que es verdad acerca de Dios, y mantengámonos firmes, sabiendo que estando del lado de Dios, Él, en su gran fidelidad y amor, está presente con nosotros.

Yo tuve esta visión de una bella dama vestida de luz. Su vestido era como el que usarías en un salón de baile, un vestido tipo Cenicienta, pero todo estaba iluminado de una manera que solo podías ver la silueta. Podía ver su rostro y su cabello largo y hermoso. Llevaba una corona hecha de flores, y también tenía un ramo de flores en sus manos. La dama de luz estaba en un bosque, y había hermosos árboles y animales de todo tipo. La miraban a ella, a su belleza y su magnificencia. Los animales le hicieron espacio para caminar, y mientras caminaba entre los animales, comenzó a arrojarles las flores. Estaban en silencio, solo mirándola. Ella no tenía miedo de la clase de animales que la rodeaban; ella simplemente caminaba con alegría mientras tiraba las flores. Y mi Señor me habló y dijo: "*Así es como te veo, nunca temerosa de sus rostros y caminando regiamente pensando en Mí. Tus ojos y tus modales reflejan Mi luz, simplemente caminando libremente, tirándoles las flores de la misericordia y la compasión. El gozo en tu rostro es tu fuerza. Solo caminando hacia adelante como caminando hacia Mí*".

Desde que era una niña, recuerdo tener miedo de las caras de las personas. No estoy seguro de lo que fue, tal vez sin saber qué esperar o la reacción que tendrían. Siempre sentí que el mundo era como un zoológico y siempre sentí la necesidad de estar con alguien para sentirme protegida. Esto me hizo muy tímida en la escuela y tenía problemas para hablar en cualquier reunión de personas. Siempre pensé que así era como soy, y tal vez simplemente no amaba a la gente. Recuerdo tener amigos que eran como yo o más fuertes que yo para evitar que me intimidaran. Mis padres compraron una casa grande en el campo lejos de la ciudad y nunca tuvimos una relación con nuestros vecinos. Eran muy protectores, y esto, creo, me ayudaba en mi propio pensamiento. No es que me sintiera mejor que nadie, sino todo lo contrario. Esto cambió inmediatamente cuando conocí al Señor.

El amor y la compasión de Dios me consumen. Su belleza es todo lo que busco, y podría encontrarla en los mismos rostros que llegué a temer. Recuerdo estar sentado en la iglesia un día y mirar todos los rostros y pensar que podría escribir un libro que llamaría Los Rostros De Mi Pueblo. Tan diferentes unos de los otros sus arrugas sólo hablaban de sus vidas. Sus ojos eran sólo la expresión de sus corazones. Aprendí a ver la misericordia y compasión en sus corazones.

Miremos hacia arriba al amor y la misericordia de Dios. Permítele que te cambie. Y con gran reverencia, levantemos nuestras manos en alabanza, dando gloria y honra a nuestro Dios, grande y poderoso, por lo que está haciendo por nosotros. Volvamos nuestro rostro hacia la presencia de su Espíritu. Escuchemos su voz una vez más. Sintamos el gozo que nos hará fuertes en medio de la lucha, la división y el conflicto. El Señor nos enseñará a caminar de la mano con Él. Seamos luz en medio de las tinieblas y engrandezcamos a nuestro Dios. Él es grande en medio de nosotros. ¡Alabémosle, ahora y siempre!

Sobre el Autor

Lourdes R. Falcon estudió Farmacia en el recinto de Ciencias Médicas, Universidad de PR. Luego, completó su maestría en Consejería Cristiana en la Universidad Zoe en Jacksonville, Florida. Realizó cursos de doctorado en el Instituto Teológico de Orlando. Especialmente se formó en la Escuela del Espíritu Santo, donde aprendió a escuchar la voz de Dios. Sirvió en el Centro Cristiano de Orlando y fue pastora en la Iglesia Lighthouse International en Orlando, Florida. Ella comparte su transparencia en sus experiencias con el Espíritu Santo, trayendo el amor del Padre y su pasión por Jesús. A Lourdes le apasiona orar por los enfermos, llevar la Palabra profética y guiar a las personas a Cristo. Ella vive en Orlando, Florida, con Frankie, su esposo desde hace treinta y siete años. Tienen dos hijas gemelas y un nieto.

Se puede contactar a Lourdes R. Falcón en lourdesfalcon.com.

CPSIA information can be obtained
at www.ICGtesting.com
Printed in the USA
BVHW052032200223
658864BV00010B/144